PAREN
TALI
DADE

Parentalidade

Coleção **Parentalidade & Psicanálise**

PAREN
TALI
DADE

Parentalidade

(ORGANIZADORAS)
Daniela Teperman
Thais Garrafa
Vera Iaconelli

1ª reimpressão

Cult autêntica

EDITORAS RESPONSÁVEIS
Rejane Dias
Cecília Martins

REVISÃO
Cecília Martins

PROJETO GRÁFICO
Diogo Droschi

DIAGRAMAÇÃO
Larissa Carvalho Mazzoni

Dados Internacionais de Catalogação na Publicação (CIP)
(Câmara Brasileira do Livro, SP, Brasil)

Parentalidade / Daniela Teperman, Thais Garrafa, Vera Iaconelli, (organizadoras). -- 1. ed.; 1. reimp. -- Belo Horizonte : Autêntica, 2021. -- (Coleção Parentalidade & Psicanálise ; 1)

Vários autores.
ISBN 978-65-86040-89-0 (Autêntica)
ISBN 978-65-86596-02-1 (Cult)

1. Famílias - Aspectos psicológicos 2. Pais e filhos 3. Parentalidade 4. Psicanálise I. Teperman, Daniela. II. Garrafa, Thais. III. Iaconelli, Vera. IV. Série.

20-36746 CDD-150.195

Índices para catálogo sistemático:
1. Família : Psicanálise : Psicologia 150.195
Cibele Maria Dias - Bibliotecária - CRB-8/9427

Belo Horizonte
Rua Carlos Turner, 420
Silveira . 31140-520
Belo Horizonte . MG
Tel.: (55 31) 3465 4500

São Paulo
Av. Paulista, 2.073, Conjunto Nacional
Horsa I. Sala 2309 . Cerqueira César
01311-940 São Paulo . SP
Tel.: (55 11) 3034 4468

www.grupoautentica.com.br
SAC: atendimentoleitor@grupoautentica.com.br

Sumário

Coleção Parentalidade & Psicanálise

Daniela Teperman, Thais Garrafa e Vera Iaconelli

A Coleção Parentalidade & Psicanálise surge com o objetivo de delimitar um campo de estudos sustentado em parâmetros éticos de escuta e respeito à subjetividade, condizente com os desafios impostos pelos atravessamentos históricos, culturais e sociais. Para tal, circunscrevemos *parentalidade* como tema que abrange a produção de discursos e as condições oferecidas pela geração anterior para que uma nova geração se constitua subjetivamente em uma determinada época. Isso implica considerar os sujeitos que se incumbem dessa tarefa no plano singular e o campo social que os enlaça.

A articulação entre parentalidade e psicanálise justifica-se pela necessidade de separar a temática da parentalidade do universo normativo que marcou sua gênese e que, nos tempos atuais, contribui para a ascensão de práticas dogmáticas, mercantis e obscuras. Sem a pretensão de que haveria uma época livre da busca por garantias e predições diante dos aspectos intangíveis e imponderáveis da criação de crianças, nos cabe mapear a nossa e fazer frente aos discursos universalizantes.

A psicanálise trata das questões da parentalidade a partir de seus elementos estruturais, isto é, para além dos efeitos imaginários de cada época, e, nesse contexto, situa também o mal-estar inerente às relações humanas e à nossa entrada na cultura. Com essas ferramentas, a psicanálise integra um campo de estudos multidisciplinares sobre o universo parental, ao mesmo tempo que aporta, a esse campo, inquietações que convidam seus integrantes a um constante reposicionamento diante da singularidade de cada caso. Desde Freud, a psicanálise tanto elucida – "Freud explica!" – quanto inquieta, desconcerta e nos movimenta em torno dos mistérios do inconsciente e do mal-estar na civilização.

A psicanálise marca, portanto, sua peculiar posição no campo de estudos da parentalidade: ocupa um lugar de composição e de exterioridade. Como integrante do conjunto, oferece seu dizer e seu saber sobre o exercício das funções parentais, de caráter estrutural, para entender a constituição do sujeito na família e para além do universo pai-mãe-bebê. Em sua posição de exterioridade, presta-se a produzir aberturas onde o conhecimento instrumentalizante tende ao fechamento e à produção de ingerências sobre a criação de crianças. Para fazer frente ao imperativo contemporâneo de oferecer a última palavra, propomos sustentar inquietações e os possíveis saberes que delas possamos extrair.

A Coleção Parentalidade & Psicanálise é composta por cinco volumes. No primeiro deles, *Parentalidade*, o leitor encontrará as principais inquietações que norteiam os estudos sobre o tema a partir da psicanálise. Os volumes seguintes reúnem textos produzidos a partir dos eixos Laço, Gênero, Corpo e Tempo.

Cada volume está organizado em quatro seções:

1. Na "Apresentação", delimitamos cada um dos temas escolhidos em sua relação com a parentalidade, situando questões que se abrem à reflexão.
2. A segunda e maior seção, "Fundamentos", é formada por textos de diferentes autores que trazem conceitos centrais da psicanálise, articulando-os à temática da parentalidade.
3. Na terceira seção, "Parentalidade e mal-estar contemporâneo", um psicanalista é chamado a refletir sobre aspectos da contemporaneidade nos quais se apresentam questões cruciais para o estudo da parentalidade na época atual.
4. Na seção "Interlocuções", autores de outras áreas do conhecimento trazem sua contribuição para o tema, de modo a abrir portas, no fim, para outros começos, e a marcar que a psicanálise não pode tudo dizer.

Propusemos a psicanalistas e teóricos de instituições diversas o desafio de realizar essa transmissão por meio de textos rigorosos e, ao mesmo tempo, acessíveis a leitores de outras áreas. Agradecemos a todos os autores que aportaram ao campo de estudos da parentalidade sua preciosa contribuição.

Boa leitura!

APRESENTAÇÃO

Sobre as origens: muito além da mãe

Vera Iaconelli

Em dezembro de 1958, na reunião da Associação Psicanalítica Americana em Nova York, a psicanalista húngara Therese Benedek profere a palestra intitulada "Parentalidade como uma fase de desenvolvimento: uma contribuição para a teoria da libido", na qual pensa o termo "parentalidade" a partir de uma perspectiva desenvolvimentista. Como o título explicita, a autora defenderá uma fase de desenvolvimento libidinal ligada a tornar-se pai/mãe, o que nos coloca diante da inevitável questão sobre o que se poderá dizer dos sujeitos que não tiverem filhos. Afinal, diferentemente da infância e da adolescência, a parentalidade é contingencial, e sua ausência não pode ser suposta como limitação. Benedek é uma autora importante, que tem contribuições significativas para o pensamento psicanalítico e feminista, mas, como todos nós, não está livre das suposições de seu tempo. Dito isso, cabe recomendar a leitura de seu trabalho, cujos *insights* sobre a relação entre pais e filhos – principalmente mães e seus bebês – são de grande valor.

Introduzo o primeiro volume da Coleção Psicanálise & Parentalidade citando a autora que teria cunhado o termo "parentalidade" com o intuito de apontar para o fato de que, nesses mais de sessenta anos, seu uso tem se prestado a interpretações divergentes, sem perder, contudo, a relevância.

Dois equívocos no trato do termo saltam aos olhos. Um no qual se associa parentalidade à instrumentalização da paternidade/maternidade, bem ao modo do discurso universitário, conforme descrito por Lacan, no qual o saber é adquirido sem restos ou arestas, replicável, garantido e dessubjetivado. Para completar, o "saber-fazer" da parentalidade seria adquirido a preços módicos, ao gosto capitalista. O outro equívoco diz respeito à suposição de que a parentalidade se resume à relação entre a mulher/mãe e seu bebê, hipervalorizada desde o século XVIII, como nos aponta a filósofa Elisabeth Badinter no já clássico *Um amor conquistado: o mito do amor materno* (1980). Dito isso, nos cabe introduzir a forma como entendemos a parentalidade e justificar a escolha de abordá-la pela psicanálise.

Se nos anos 1960 – e até muito recentemente – a balança da parentalidade pesava fortemente para o lado do laço mãe-bebê, os anos 2000 viram surgir questões sobre gênero, racialidade, vulnerabilidade social e cultura impossíveis de ignorar. Até então, a relação entre a mãe e seu bebê (preferencialmente o biológico) – cujos estudos foram fundamentais para entender a constituição do sujeito – servia de paradigma da parentalidade. Outras configurações como: mães/pais adotantes e seus bebês adotados; cuidadores sem parentesco com o bebê; famílias com configurações de gênero ou orientação sexual fora do padrão cisgênero/heterossexual; reprodução medicamente assistida, enfim, temas recorrentes da clínica atual, eram vistos como desvios da norma. O pai, a mãe e seu bebê biológico serviriam como gabarito da situação ideal, e as demais situações, como arremedos para as quais o psicanalista é chamado a diagnosticar e tratar.

O modelo estrutural edípico – lido equivocadamente na chave imaginária pai-mãe-bebê reais – acabou por chancelar a família burguesa enquanto estrutura que garantiria a saúde mental da prole. Se a psicanálise foi usada como munição para um modelo claramente ideológico de parentalidade, isso se deve a uma combinação complexa de condições oferecidas pelo capitalismo, pela necessidade de reproduzir normas sociais hegemônicas, mas também pela ferida narcísica que o romance familiar busca tamponar na forma do mito parental.

A parentalidade como prática garantidora da constituição, da formação e da educação dos sujeitos revela sua face obscura. A busca obsessiva por garantias é uma das grandes questões de nossa época, que encontra no especialista de hoje as pretensas respostas que foram imputadas aos mitos religiosos de outrora.

Muito além da mãe

Pensar os laços que uma geração estabelece para ser capaz de reproduzir corpos e, principalmente sujeitos, implica ir muito além do que se passa entre uma mãe e seu rebento, sem, no entanto, minimizar a importância dos laços fundamentais na relação um a um. Trata-se, pelo contrário, de refletir sobre o alcance e os limites dessas relações, dando-lhes o devido valor, para que não se impute à mãe responsabilidades e culpas históricas, que não lhe cabem.

A reprodução do laço social depende da relação entre sujeitos nascidos com diferentes competências biológicas para procriar, mediadas ou não pela medicina. A partir desse fato incontestável se faz a transmissão de valores da cultura, de lugares sociais, da transgeracionalidade em íntima relação com a estrutura mínima familiar. É nessa conjunção entre o real e a tentativa incessante de imaginarizá-lo e simbolizá-lo que se produz sujeitos, razão última da psicanálise.

Sem levar isso em conta, perpetuamos o uso mais canhestro que se pode fazer do termo "parentalidade": instrumentalização de um suposto saber que permitiria o controle da transmissão geracional sem falhas. A consistência imaginária das figuras de pai e mãe, os equívocos recorrentes no uso dos termos "função materna" e "função paterna", o apelo ao especialista que previne e garante estão aí para exemplificar esse risco.

"Pai" e "mãe" são termos problematizados pela psicanálise que produzem efeitos imaginários na clínica e na teoria. Seu uso aponta para a interpretação biológica, para o direito, para o gênero, para os papéis, para a educação, para as funções.

Se pensarmos em *termos biológicos*, é fácil identificar o sujeito cujo sexo é atribuído como sendo masculino como pai potencial e o cujo sexo é atribuído como sendo feminino como mãe potencial. Nesse sentido, a tarefa reprodutiva sustentaria uma distinção que se baseia no fato notório de que pessoas nascidas com ou sem útero vivem experiência corporais bem distintas ao procriar. A fugacidade da ejaculação se contrapõe à materialidade do corpo do bebê dentro do corpo de alguém na gestação. Os termos "maternidade" e "paternidade" costumam se fiar nessa diferença, ignorando que não podemos deduzir de forma inequívoca como essas experiências afetam cada sujeito na sua singularidade.

No que tange ao direito, sabemos que cabe à lei definir quem pode e quem não pode se denominar pai/mãe socialmente. Nem sempre pai/mãe de direito exercem as funções supostas, e muitas outras soluções podem ocorrer.

A clínica nos traz os casos de transição de gênero para embaralhar as cartas e desembaralhar efeitos imaginários provenientes das consistências que as interpretações da imagem do corpo podem produzir. Nos casos, por exemplo, em que uma pessoa nascida com útero se identifica como homem ou outro gênero que não mulher, a tendência é que os significantes pai/mãe possam ser intercambiáveis ou fixados no sexo designado na transição. Nesse caso, os gêneros homem/mulher seriam determinantes da escolha pelos termos pai/mãe tanto quanto a procriação biológica. Sujeitos não binários ou intersexo nos trazem ainda mais questões, como o uso do neologismo "mapa" – contração de *ma*mãe e *pa*pai – ou o uso do nome de batismo do responsável. A clínica das transições de gênero revela que a partilha biológica da procriação – todo o ciclo perinatal de gravidez, parto, puerpério e aleitamento – não sustenta inequivocamente o uso dos termos pais/mães, abalando um dos pilares de sua justificativa.

No que tange aos *papéis*, teremos uma miríade de costumes nos lembrando que, embora a incumbência dos cuidados dos filhos venha sendo, ao longo da história, hegemonicamente das pessoas que gestaram, as variações são enormes. Os papéis de pai/mãe de hoje respondem ao período histórico no qual estamos inseridos e reproduzem o modelo burguês, cis, patriarcal e heterossexual.

É facilmente constatável como a precarização das condições de trabalho e das condições sociais têm efeito direto sobre uma parentalidade pensada em termos privados e neoliberais. Os cuidados com as crianças alcançaram a situação insustentável atual, na qual são tidos como de inteira e solitária responsabilidade das mães, exemplificado pelas mães chefes de família no Brasil. Em nenhum período histórico anterior, exceto em situações extremas de guerras e calamidades, a maternidade foi imaginada como tarefa individual, ainda que fosse prioritariamente feminina. O adoecimento social decorrente desse fato é notório na clínica psicanalítica. Trata-se de uma sociedade que se obstina desastrosamente a reduzir as responsabilidades dos cuidados das novas gerações às já sobrecarregadas mulheres, de forma catastrófica.

Nesse ponto, cabe discutir a que se refere a psicanálise, quando usa "função *materna*" ou "função *paterna*", em tempos em que as responsabilidades sociais sobre o parentesco recaem erroneamente sobre as mães e mulheres.

A contribuição psicanalítica

Avessa aos discursos que prometem predição e garantias, a psicanálise se ocupa da escuta daquilo que responde pela produção dos fenômenos, bem como o que aponta para a incompletude do saber e para o que escapa às possibilidades de apreensão pela linguagem. A experiência é sempre maior do que a linguagem, que é incapaz de abarcá-la por completo. Esse resto que lhe escapa continua insistindo em não se fazer dizer. Dessa diferença entre a experiência e a linguagem emerge uma produção incessante de sintomas, atos falhos, sonhos, mas também de teorias, arte, religiões.

O psicanalista é aquele que dá ouvidos ao ruído, ao dissonante, a aquilo mesmo que as ciências tentam ignorar. Ao concentrar sua atenção no que em nós é o mais íntimo e mais estrangeiro – que nos move e que tentamos ignorar – a psicanálise não o faz com o intuito de catalogar mais uma doença, um desvio ou uma aberração. Contrariando as expectativas de tudo patologizar e apressadamente classificar, criando uma infindável lista nosográfica – como podemos ver nos atuais manuais diagnósticos de transtornos mentais –, o discurso psicanalítico reconhece nas formas do sofrimento humano as expressões possíveis de uma subjetividade única e da época na qual está inserida.

Na contramão da crescente especialização característica dos modos capitalistas – segmentar para produzir mais e melhor – a psicanálise aponta para o sujeito do inconsciente e sua singularidade. Não há, portanto, especializações em psicanálise, pois a pretensão de um saber totalizante no campo do humano conduz à surdez do que é próprio e singular de cada um. A clínica nos confronta com esse fato a todo instante. Mesmo médicos, premidos pela lógica da criação de protocolos para doenças previamente mapeadas, são capazes de reconhecer em sua clínica que sujeitos diferentes respondem diferentemente aos mesmos quadros e tratamentos.

Abordar a parentalidade a partir da psicanálise visa colocar em primeiro plano a importância de escutar como a angústia emerge no fenômeno parental em cada sujeito, de um lado, e as respostas que a cultura tem produzido diante desse fenômeno em nossa época, de outro. Longe de se constituir como saber especializado, trata-se de recortar um campo de estudos fértil para se debruçar sobre os desafios encontrados nesse momento da vida que, como pais ou como filhos, nos atravessa a todos. A parentalidade engendra um espectro de acontecimentos mapeáveis em diferentes níveis, e isso pode nos servir para limitar os ruídos na escuta das singularidades, mas não para generalizá-los. Cada sujeito, a partir da elaboração de sua história única, responderá de forma singular às forças que o campo parental convoca. Ao psicanalista cabe escutá-lo, ciente de quais são essas forças, mas sem a pretensão de saber de antemão as respostas que o sujeito produzirá, tampouco o destino que será capaz de dar a esses acontecimentos.

A reprodução do laço social

A reprodução do laço social implica a manutenção de posições que se perpetuam geração após geração. Piera Aulagnier nos alertava para o contrato narcisista que se herda ao nascer e que promove as coordenadas da herança simbólica. Pensar a parentalidade nos obriga a reconhecer que os sujeitos estão submetidos a experiências distintas no cuidado com a prole e que nascer negro ou indígena, por exemplo, nas periferias do mundo implica estar submetido a um campo de fenômenos diferente da criança branca nascida fora de situações de vulnerabilidade social. Assim como o feminismo precisou incorporar gênero, racialidade, vulnerabilidade social, orientação sexual e exílio em suas discussões, a psicanálise não pode se furtar a pensar o atravessamento que essas realidades têm nas patologias sociais e nas singularidades e, portanto, na parentalidade. Cientes de que cada sujeito responderá de forma única aos fenômenos, não podemos nos eximir de estudá-los, sob pena de reproduzir suas mazelas.

Assim teremos uma abordagem eminentemente crítica das condições nas quais os laços fundamentais têm se reproduzido para muito além da dupla cuidador-bebê sem, contudo, perdê-la de vista.

Abarcar tema tão vasto implica escolher alguns caminhos em detrimento de outros. Nos capítulos a seguir, os caminhos escolhidos são expostos com a pretensão de contribuir para a discussão iniciada por Freud, ao se perguntar sobre a origem do psiquismo e sobre os laços fundamentais que o engendram. As discussões sobre o uso ideológico do termo *parentalidade*; a escolha da *psicanálise* como forma de abordá-lo; a reprodução de *corpos* – que entre humanos é sempre atravessada pelo simbólico; os *laços* que engendram sujeitos; os estudos de *gênero* e seus ruídos na teoria e na clínica; e os *tempos,* que fundam nossa existência, são trazidas nos cinco volumes desta coleção com o intuito de permitir que o vasto campo da parentalidade, aqui definida como a "produção de discursos e as condições oferecidas pela geração anterior para que uma nova geração se constitua subjetivamente em uma determinada época" seja minimamente contemplado. Para isso escolhemos os temas: Parentalidade, Laço, Gênero, Corpo e Tempo como eixos da coleção que aqui inauguramos.

A clínica a nos nortear

A clínica com gestantes e com mães e pais de bebês tem evidenciado que as transformações do corpo na perinatalidade e os movimentos subjetivos necessários à construção do lugar parental exigem um trabalho psíquico intenso e, muitas vezes, produzem efeitos disruptivos. Não é raro recebermos homens e mulheres às voltas com o suicídio e com ameaças à vida dos bebês ou, ainda, envoltos em construções delirantes e inibições que impedem ou perturbam diversas áreas de suas vidas. Essas situações nos convocam a refletir sobre o que ouvimos em tantos outros casos nos quais a experiência de desamparo e vulnerabilidade emocional acompanham transformações e adoecimentos.

Os autores que aceitaram o desafio de compartilhar suas reflexões teórico-clínicas no campo da parentalidade a partir da abordagem psicanalítica – bem como os convidados que nos brindaram com interfaces de outros saberes – são exemplares no entendimento da inextricável relação entre subjetividade, laço social e época.

Os capítulos que compõem este volume dão consequência às questões acima, trabalhadas por autores advertidos da complexidade do tema. Longe de propor o reducionismo, os textos mantêm o difícil equilíbrio entre a transmissão rigorosa da psicanálise e a linguagem mais acessível a outros leitores. Além disso, formam uma rede de reflexões na qual a leitura de um capítulo suscita questões a serem tensionadas em outro e assim por diante.

Miriam Debieux nos presenteia com o capítulo "Passa anel: famílias, transmissão e tradição", no qual aponta para a reprodução dos laços de exclusão a que se presta a parentalidade e a necessidade ética de que estejamos atentos a isso. Texto fundamental para pensarmos o que reproduzimos, quando produzimos uma nova geração e qual seria o papel do profissional nos atravessamentos ideológicos. Seu texto aponta a crítica necessária para que a clínica não se faça refém dos meios de segregação, apostando nas voltas e reviravoltas que o exercício da parentalidade produz.

Temos também a contribuição sempre valiosa de Christian Dunker, que discorre sobre a questão dos efeitos da parentalidade sobre a conjugalidade no capítulo "Economia libidinal da parentalidade". Tema este que se mostra ainda mais significativo em tempos nos quais as relações amorosas e familiares não se sustentam nos imperativos sociais de outrora. O impacto que a chegada do filho promove na organização libidinal do casal encontra no capítulo de Dunker um desenvolvimento precioso, no qual o autor propõe uma escuta mais acurada para esse momento crucial das relações amorosas e os fatores econômicos/libidinais em jogo.

Thais Garrafa mergulha na distinção entre função e posição materna – não necessariamente referidas às mães –, desvencilhando-se dos usos equivocados que rodam o tema ao abordar os "Primeiros tempos da parentalidade". Utilizando com rigor e pertinência os conceitos de "ato", "semblante" e "transitivismo", faz avançar os estudos sobre essas funções, tão insistentemente imaginarizadas. Texto que coloca balizas importantíssimas para a teoria e, consequentemente, para a escuta clínica ao focar os efeitos do ato que a assunção dos semblantes pai e mãe têm sobre aqueles que o realizam e o tempo lógico no qual se fundam.

No capítulo "Reprodução de corpos e de sujeitos: a questão perinatal", busco trabalhar o tema da perinatalidade (gravidez-parto-puerpério) um tanto negligenciado pela psicanálise. Questiono a interpretação implícita em algumas leituras psicologizantes de que a experiência da mãe biológica traria alguma vantagem para a construção da parentalidade quando comparada com outros cuidadores que não engravidaram e pariram. A violência na parturição também entra na conta da discussão sobre a situação cultural, de gênero e racial da qual têm emergido puérperas e bebês em nossa sociedade.

Daniela Teperman, na seção reservada para questão do mal-estar em nossa época, traz o capítulo "Parentalidade para todos, não sem a família de cada um". Nele discute, a partir de sua longa e reconhecida pesquisa no campo, a incessante busca de atribuir consistência aos semblantes pai e mãe no uso equivocado que se faz do termo "parentalidade". Nos alerta também para uma pretensa dessexualização da transmissão familiar que retorna sintomaticamente na forma de violências contra crianças, uma das expressões mais pungentes do mal-estar contemporâneo.

A socióloga Marília Moschkovich fecha este volume, na seção dedicada à interlocução com outros saberes. De forma inspirada, usa a fictícia Técnica Ludovico, criada por Anthony Burgess no romance *Laranja mecânica* (1962), para pensar as questões de gênero na parentalidade no capítulo "Sobre laranjas mecânicas, feminismo e psicanálise: natureza e cultura na dialética da alienação voluntária". Contribuição importantíssima por tensionar as questões da parentalidade e do feminismo, colocando no centro do debate a divisão de gênero não igualitária quanto aos cuidados, ao trabalho doméstico e à tarefa reprodutiva.

Segue aqui nossa aposta de que um trabalho com a parentalidade que dialogue com diversos saberes tem mais a contribuir para o entendimentos das condições nas quais sujeitos se constituem como pais, mães e cuidadores. A partir daí, é a própria constituição do sujeito que se mostra em causa.

Referências

AULAGNIER, P. *A violência da interpretação: do pictograma ao enunciado*. Rio de Janeiro: Imago, 1979.

BADINTER, E. *Um amor conquistado: o mito do amor materno.* Rio de Janeiro: Nova Fronteira, 1985.

BENEDEK, T. Parenthood as a developmental phase: contribution to the libido theory. *Journal American Psychology Association*, n. 7, p. 389-417, 1959.

FUNDAMENTOS

Passa anel: famílias, transmissão e tradição

Miriam Debieux Rosa

Com quem está o anel?

O anel que tu me destes
Era vidro e se quebrou
O amor que tu me tinhas
Era pouco e se acabou.

A família se instituiu como o palco de relações históricas, políticas e libidinais, simbolicamente articuladas, que melhor permitiria a proteção e a educação da criança. Como modalidade de mediação da relação entre sujeito e sociedade, o foco na família obscurece a presença da cena social na base da cena familiar. A idealização, ainda bastante presente no imaginário social atual, mantém o modelo patriarcal, formado pela família nuclear heterossexual com as funções parentais atadas aos papéis de pai e mãe, e ofusca os seus conflitos, as relações de poder, as violências. Apesar disso, novas concepções, configurações e perspectivas de laços familiares têm sido possíveis, uma vez questionados: o lugar social da mulher/mãe, as novas tecnologias de reprodução, a problematização das famílias monoparentais, a parentalidade nas famílias marginalizadas econômica, social e culturalmente, e ainda a violência intrafamiliar. Entendemos que, sob a ótica da psicanálise (Freud e Lacan), a parentalidade é fruto de operações fundadas a cada nascimento de um filho, numa relação social específica, processo que atravessa a dicotomia entre a dimensão pública (política) e a privada (família).

Duas canções infantis nos embalam para falar das tramas familiares que envolvem afetos e política. Na brincadeira infantil do passa anel[1] está feita a pergunta "Com quem está o anel?", dando ênfase a quem porta um saber sobre a transmissão/ tradição e a qual será o lugar de cada um/a como o/a "passador/a". Já a canção "Ciranda, cirandinha",[2] anuncia: "O anel que tu me deste / Era vidro e se quebrou / O amor que tu me tinhas / Era pouco e se acabou". Podemos dizer que tal canção remete tanto à ilusão de felicidade pelo casamento indissolúvel como à ilusão social e política contida nas promessas de pertença em troca da submissão às regras sociais. Talvez também se reporte às históricas trocas de presentes utilizadas pelos portugueses na colonização, e ainda presentes na vida política do país.

A ciranda ainda propõe que, diante da constatação da falácia da promessa do amor incondicional da família e da desilusão da pertença social, "Diga um verso bem bonito" e "Vamos dar a meia volta", cirandar, continuar. Assim, brincando, abordamos a questão da parentalidade, com ênfase nas diferenças entre a transmissão da cultura e a preservação da tradição, ambas na interface entre sujeito e lugar social. Enfatizamos que a transmissão da história, de valores e ideais e dos significantes fundamentais

---

[1] A brincadeira infantil conhecida como "passa anel" consiste em passar um anel para outro participante sem que os demais percebam. Todos juntam as mãos, palma com palma, e o passador da vez vai "cortando" as mãos dos outros até deixar, discretamente, o anel em uma delas. Então, pergunta a um dos jogadores: "Com quem está o anel?". Se o jogador acertar, é o próximo passador.

[2] A ciranda é uma prática cultural composta simultaneamente por canto e dança de roda de adultos, segundo Diniz (1960). Para o autor, a ciranda seria de origem portuguesa, tendo chegado ao Brasil no século XVII. Até os anos 1950 predominava no estado de Pernambuco, restringindo-se a locais populares, como beiras de praia e pontas de rua. Por volta dos anos 1970, amplia-se para outros espaços da cidade. É considerada uma dança democrática, não havendo espaço para nenhum preconceito ou rejeição por idade, cor, sexo, condição social ou econômica. Em relação à canção infantil. As cirandas infantis são encontradas em todas as regiões brasileiras. A dança de roda é acompanhada da seguinte canção: "Ciranda, cirandinha / Vamos todos cirandar! / Vamos dar a meia volta / Volta e meia vamos dar. / O anel que tu me destes / Era vidro e se quebrou / O amor que tu me tinhas / Era pouco e se acabou. / Por isso, fulaninha / Entre dentro desta roda / Diga um verso bem bonito / Diga adeus e vá se embora".

da filiação e da sexualidade são importantes na constituição subjetiva e na construção do laço social. Ou seja, é sob a ética do sujeito desejante que nos cabe examinar as questões familiares (Rosa, 2009).[3]

A transmissão da cultura atribui um lugar para o jovem sujeito, o que lhe permite se reconhecer numa história narrativa passada e futura e significar sua inscrição no presente. A eficácia da transmissão é o que irá possibilitar a articulação, por vezes contraditória, entre o lugar que o jovem sujeito ocupa numa ficção parental e o campo das suas afiliações no laço social (Carmo-Huerta, 2013). Este sustentado por uma cultura múltipla e quase sempre hierarquizada em termos de gênero, classe social e origem. No entanto, em nome da transmissão da cultura e da civilização, instalam-se mecanismos para conservar a tradição de lugares sociais, relações de poder e transmissão patrimonial, imiscuídos e naturalizados nos hábitos e nos costumes de uma dada sociedade. Assim o demonstraram autores da história social e da filosofia (Ariés, 1978; Volnovich, 1993) e alguns estudos sobre a família brasileira (Freyre, 1981; Costa, 1989; Musatti-Braga, 2015, 2018; Schucman, 2018). É preciso discutir contextos históricos e subjetivos, assim como os novos cenários nos quais dispositivos têm sido desenvolvidos para ora assegurar a eficácia da constituição do sujeito desejante, ora reassegurar os mecanismos de sujeição social.

Família e constituição do sujeito

A família surge em Freud especialmente no texto *O romance familiar dos neuróticos* ([1909] 1976), em que aborda o cenário do drama

[3] Nossas elaborações são rearticulações que partem de experiências clínicas e de pesquisa com crianças, adolescentes e suas famílias (principalmente aquelas em condição de marginalização social e marcadas por preconceitos e racismo). Participam dessas pesquisas psicanalistas e pesquisadores, vários deles do Laboratório Psicanálise, Sociedade e Política (PSOPOL/IP/USP) e do departamento de Psicologia Social da PUC-SP. Têm destaque, além dos meus trabalhos, particularmente nesse tema, os de Viviani Carmo-Huerta (2013), Cristine Lacet (2012), Ana Paula Musatti-Braga (2015, 2018), Aline Souza Martins (2020), entre outros. Além disso, retomamos alguns clássicos e as novas produções no tema.

edipiano que expressa o dilema humano da relação entre lei e desejo. Nesse cenário emergem a mãe e o pai como fundamentais à constituição do sujeito. A colagem com os atores sociais que cumprem essas funções perpassa toda a obra freudiana, gestada em plena modernidade, e podemos reconhecer seus efeitos subjetivos encenados em versões do Édipo. É curioso notar como Freud, em alguns momentos, naturaliza a mulher como mãe, localizando a superação da ferida narcísica da castração na gestação de um filho do sexo masculino. No entanto, ele mesmo mostra os caminhos psíquicos tortuosos tanto da conquista da condição feminina quanto da posição materna, portanto condições não naturais da mulher.

Lacan, por sua vez, em sua definição para o verbete "Família", escrito originalmente para a *Encyclopédie Française* e publicado em 1938, propõe que a família teria a função biológica de garantir a sobrevivência dos mais jovens, mas que sua função essencial seria a de transmissão da cultura. Em *Duas notas sobre a criança*, Lacan ([1969] 1983, p. 373) destaca "a irredutibilidade de uma transmissão – que é de uma outra ordem que não a da vida segundo a satisfação das necessidades, mas é de uma constituição subjetiva, implicando a relação com um desejo que não seja anônimo". Essa função tem: a) uma condição: se efetivar por um interesse particularizado em relação à criança; b) um resultado: a transmissão de um nome que é o vetor de uma encarnação da Lei no desejo (Rosa; Lacet, 2012).

Esses são pontos fundamentais para a questão tratada neste texto, uma vez que situam a criança na articulação entre modo de gozo e desejo na família, nas diferentes gerações e nas relações sociais, a fim de estabelecer as condições da transmissão de um nome e de um desejo não anônimo. Assim, exercer as funções maternas e paternas supõe, mais do que certa estrutura subjetiva, responder ao fantasma do grupo social que se abre ou não à possibilidade de um lugar de uma inscrição para o exercício das funções parentais, pois cada sociedade institui um pai para o filho, designação que não é arbitrária (Legendre, 1999).

A constituição subjetiva envolve a nomeação que permite a inscrição social da criança como "filho de" e a sua ancoragem subjetiva nessa nomeação. Tais processos implicam dupla alienação, à sociedade e às leis da linguagem, bem como ao desejo dos pais, o que produz um laço social. Ressalte-se, no entanto, que a nomeação depende da inscrição social de um acontecimento: o nascimento de uma criança.

O acontecimento vai além do simbólico, entra no real e escreve a relação. Pode faltar a inscrição da criança na ordem humana, fora da qual ela permanece pura vida nua, descartável, matável, como diria Agamben (2002). Por vezes, um bebê pode ser tratado como dejeto ou seu nascimento pode ser desconsiderado. É interessante nesses casos que, quando um bebê que foi descartado é nomeado – como faz um coletor de lixo que encontra uma criança jogada no lixo e diz: "É um bebê!" –, comparecem inúmeros candidatos à adoção. Infelizmente, muitas crianças não têm direito ao registro ou têm sua existência desconsiderada.[4]

Queremos destacar que não há anterioridade da parentalidade e das funções materna e paterna – elas se constituem simultaneamente como efeito social e subjetivo do nascimento da criança inscrita como filho de alguém e se revelam pelo efeito no sujeito, *a posteriori*, quando se constitui um lugar para o filho e este é registrado com um nome.

A importância do porta-voz dos enunciados fundamentais

O discurso sobre a criança se movimenta entre dois pares de representação: a relação adulto-criança e a relação pais/cuidadores-filho, até mesmo no casal parental. São discursos muito diferentes, sendo que a relação adulto-criança diz de uma criança genérica, carregada pelas expectativas sociais do imaginário social sobre a criança, sobre seu desenvolvimento, seu comportamento e sua adequação.

A intervenção dos discursos científicos, jurídicos e pedagógicos na família e sua tentativa de substituir o pai produzem filiações nem sempre simbólicas. Se tais discursos permitem a organização social, não são suficientes para a inscrição da criança como filho, tampouco para a inscrição dos pais nessa posição, a partir da qual uma mulher e/ou um

---

[4] Segundo a Pesquisa Nacional por Amostra de Domicílios (IBGE, 2015), estima-se que o Brasil ainda possua mais de 130 mil crianças de até dez anos de idade sem registro de nascimento.

homem podem se tornar pais e tomar o seu filho como objeto amoroso. Corre-se o risco de um desejo anônimo que obstaculiza a transmissão dos significantes fundamentais (Rosa; Lacet, 2012) e que acompanha os passos da biopolítica em dois tempos:

- o primeiro tempo atribui prevalência ao significante "criança" (no par criança-adultos) em detrimento do significante "filho" (no par filho-pais), e
- o segundo refere-se à perda do sentimento de infância.

A esse respeito, Rosa e Lacet (2012) ainda propõem que:

> retomemos as hipóteses de Postman (1999) sobre a perda do sentimento de infância; as considerações de Lacan ([1967] 1981) sobre a criança generalizada, ou seja, sobre a predominância na atualidade da ignorância, própria do narcisismo, que obtura a dimensão do desconhecimento fundamental para instauração do enigma da existência. Tais considerações alertam que, supor que se saiba tudo sobre um sujeito, tomado como um corpo desmembrável, abre para a segregação (p. 360).

As autoras ainda acrescentam:

> Pode-se dizer da pretensão da Ciência de ordenar os outros discursos e de aparecer como um dos Nomes do Pai. A Ciência gera e modela crianças, e os efeitos dessa "verdade" contemporânea, se não alertados, podem ser desastrosos para a ética do desejo. O desejo narcísico de ser mãe/pai, o desejo de filho, a vontade de ter a criança já e no modelo desejado são modalidades que fazem diferença na inscrição do lugar da criança no discurso e no desejo do Outro (p. 367).

As considerações sobre a transmissão que se opera a partir da parentalidade são fundamentais e se revelam no par pais/cuidadores-filho. Tal enunciado, embora imbuído dos ideais das fantasias presentes no imaginário social, quando evocado a partir da referência à castração parental, será marcado pela divisão entre desejo e lei, tem o gozo no plano da fantasia e revela a sua implicação na relação com o filho, podendo lhe transmitir os significantes de sua filiação e sexualidade.

Neste ponto, destacamos com Aulagnier (1979) a importância da legitimidade do lugar social dos encarregados dos enunciados fundamentais para a criança, a partir de seu interesse particularizado em relação ao filho e pelo desejo de transmissão de seu nome. A efetividade de seu discurso vincula-se à maior ou menor valorização do representante do discurso parental.

Essas considerações são necessárias para compreender o lugar da política no exercício da parentalidade, especialmente na parcela da população mais atingida pelo apagamento do discurso familiar. Em particular, aquela que não tem respaldo social para a gratificação narcísica necessária para favorecer as identificações ao grupo e que tem o seu lugar fálico na cultura ameaçado.

Tais famílias, além de terem vivido rupturas com o lugar de origem, desqualificação de suas raízes culturais e carências materiais, têm seus enunciados desautorizados pelo discurso social. Efeitos inteiramente diversos operam quando os enunciados chegam à criança pela via do discurso parental, de instituições ou de outros porta-vozes (Rosa, 2009). O enunciado é diluído em vários "outros", encarnados, aleatoriamente, pelo patrão, pelo diretor da escola, pela polícia... Nesse caso, constata-se o apagamento do discurso pais-filho, substituído pela prevalência do discurso adultos-criança. Para tais crianças é oferecido apenas o "discurso da criança", de uma criança que não lhe diz respeito, que não é "filho" e que escapa à condição desejante, que incluiria o Outro e o implicaria no efeito subjetivo. O discurso, carregado de expectativas sociais, desqualifica a criança, seu discurso e seus atos.

Édipo, maternidade e segregação: os brasileiros filhos da mãe

O tema das transformações dos modelos de família foi desenvolvido por Elisabeth Roudinesco, no seu livro *A família em desordem* (2002), e, com ênfase no lugar da mulher, por Elizabeth Badinter, com o seu livro *Um amor conquistado: o mito do amor materno* (1985). Enquanto

Roudinesco desconstrói a família do modelo patriarcal, Badinter enfatiza que as conquista femininas não foram capazes de quebrar com o "mito da maternidade".

Na psicanálise, Lacan retoma o Édipo freudiano à luz do estruturalismo e distingue as funções materna e paterna da colagem dos atores sociais nos papéis de pai e mãe. Com essas considerações, esclarece que não basta haver uma criança para que se institua a mãe ou o pai, e que não é óbvio que a criança seja tomada como falo – um dos nomes que completa a mulher e a faz mãe, condição do primeiro tempo da estruturação da criança. No entanto, Aline Souza Martins (2020), com Benjamin (2018), analisa as consequências da presença dos valores da cultura ocidental na metapsicologia psicanalítica e discute o lugar do desejo da mulher no Édipo. Afirma que "Parece mais plausível que as crianças muito novas já percebam a diferença de poder dentro da nossa sociedade e queiram ter esse poder" (p. 93). Para as autoras, a identificação em jogo não seria tanto com o pai, mas com aquele que pode desejar, fazer, ser, dizer, gozar.

Apresentamos a disjunção entre a função parental e o suporte tradicional na família burguesa, em que o lugar materno é a única modalidade de desejo para a mulher. Tal disjunção incide na transmissão da cultura, impregnada nos objetos e nas imagens, na fala e na alimentação, no vestuário e nas narrativas que transmitem valores, ética e normas que, de forma silenciosa e oculta, se instalarão no imaginário social.

Na sociedade brasileira, o lugar da mulher-mãe tem particularidades que revelam um romance familiar e tramas sociais bastante peculiares. A historiadora Mary del Priori (1993) aponta que, desde os primeiros séculos de nossa colonização, a Igreja impôs um adestramento das mulheres na figura de "boa-e-santa-mãezinha". A intenção era fugir "da tradição de amasiamento legada pelas relações entre brancos e índias, bem como da tradição do concubinato trazida pelos portugueses e amplamente difundida entre as classes subalternas" (p. 93). Esse padrão da "boa-e-santa-mãe" mantém alguns ecos até os dias de hoje,[5] ainda que incida de maneira bastante diferente nos

---

[5] Na campanha eleitoral que elegeu o presidente Bolsonaro em 2020, a figura da mulher bela e do lar esteve presente e era enaltecida por seus eleitores.

vários contextos e estratos sociais e que se articule a muitos outros novos padrões e representações.

Apesar do monopólio do imaginário europeu no Brasil, as contribuições das culturas indígena e negra formam a raiz híbrida de nossa configuração cultural, bastante tensionada socialmente pelo desnível de visibilidade e valor atribuído às duas últimas. Gilberto Freyre (1981) descreve a convivência da casa-grande com negros escravizados, dentre os quais a chamada "mãe preta", escrava negra escolhida para ser ama de leite. Esta, "com base no discurso médico-higienista, que alertava para o perigo de "contágio" pelo leite, não só de doenças, mas também de corrupção moral, deu lugar à ama-seca – "criadeira de crianças" –, que se transformou na babá de hoje", afirma Bastos Lima (p. 59). Essa autora destaca que a importância da babá é "frequentemente 'apagada' nas relações sociais e nas reflexões teóricas" (p. 59). No entanto, a sua presença, em situações marcadas por desigualdades e por emoções ambíguas, faz parte na construção da subjetividade afetiva e constitutiva das crianças que estiveram a seus cuidados. Ela defende, assim como outras pesquisadoras,[6] que as relações de gênero são campos de poder, propondo uma releitura do Complexo de Édipo que possa incluir as babás e amas de leite, pois desempenham um papel essencial na maternagem e no cuidado diário da maior parte das crianças brasileiras brancas de classe média.

Esse ponto é fundamental para não se generalizar as conquistas feministas e os novos parâmetros da "família pós-moderna", que incluem as "produções independentes", os "recasamentos" e as "famílias de escolhas", que não se aplicam de maneira equânime e homogênea a todos os grupos sociais. A antropóloga urbana Claudia Fonseca (2000) aponta que esses novos parâmetros parecem ser muito bem-aceitos quando referidos a famílias de classe média ou média alta, mas o mesmo não acontece em relação às famílias mais pobres. Nestas, perdurariam os rótulos mais antigos, carregados de conotações pejorativas, como

---

[6] A antropóloga Rita Laura Segato (2005), a socióloga Lélia Gonzalez (2018) e as psicólogas Neusa Santos Souza (1990), Isildinha Batista Nogueira (1998), Lia Vainer Schucman (2018) e Ana M. Musatti-Braga (2015, 2018), por exemplo, atualizam essas questões.

"mães solteiras", "filhos largados", "filhos abandonados", "famílias desestruturadas", termos que revelam um suposto fracasso na realização do ideal de família nuclear, tomada como norma.

A relevante tese de Musatti-Braga (2015) evidenciou a suspeição que se dá sobre mulheres negras como mães no imaginário social. Em estudo realizado numa escola paulistana, ela observa como os adolescentes pesquisados eram considerados os "filhos dessas mães mal faladas, os filhos da puta" (Musatti-Braga; Rosa, 2018, p. 5), e havia sobre elas, uma suspeita constante de seu papel de mães, sua *reputação* sempre em perigo. Além e junto disso:

> [...] algumas educadoras convocavam certas mães para uma posição que nos soava excessivamente materna, como se devessem ser *exclusivamente mães*. [...] Mas o que ia se fazendo ouvir era um empuxo, um imperativo à posição materna como única maneira de existir dignamente e de se fazer respeitar, que incidia fortemente sobre determinadas mulheres. Com variações de detalhes ou de justificativas, o que se repetia em relação a elas eram comentários cuja espinha dorsal consistia num ataque a tudo que extrapolasse o que era considerado e estabelecido como obrigações maternas: "Para se arrumar ela tem tempo, mas para vir à reunião da escola...", "de sair ela gosta, mas para acompanhar as lições...". Quando aparecia nas falas destas mulheres o desejo de ter um tempo só delas ou só com seus companheiros, ou alguma situação em que ficava explícita a vaidade, o erotismo, suas vontades e seus prazeres para além de ter um filho ou de ser mãe, o que aparecia era uma crítica dissimulada através de reticências acompanhadas de um semblante de reprovação (Musatti-Braga; Rosa, 2018, p. 5).

Essas falas revelam que certos estratos sociais afetam a legitimidade oriunda da posição de *mãe*, remetendo à discussão a respeito de estratégia de controle social na efetividade da transmissão. O artifício de engessar algumas mães como *putas* recai sobre seus filhos – *filhos da puta* – e evidencia uma das modalidades da violência e da dominação, demonstram as autoras. Emir Sader (2002) nos lembra que aos dominados restam somente o traço de inferiorização dado que são nivelados para que sua pluralidade desapareça.

Um último ponto a se destacar é a tradução da função paterna como a presença insubstituível de um homem como necessária para "botar respeito" na casa. Ou seja, como estratégia para atestar a integridade moral das mulheres e como proteção diante da insuficiência da polícia (Fonseca, 2007), reiterando às mães, mulheres, negras e pobres, a violência da posição servil. Até mesmo o que seria a potência de cuidar dos filhos *sozinha* é desqualificada no discurso social, considerada uma desestruturação familiar, explicação para as dificuldades afetivas e de aprendizagem ou comportamentos tidos como antissociais ou agressivos de seus filhos (Musatti-Braga, 2015).

Do ponto de vista da psicanálise, considera-se necessária a presença de um "terceiro" para a separação psíquica entre mãe e filho, uma das atribuições da chamada "função paterna". Ao ser ele/ela o "objeto de desejo" do pai/mãe, introduz-se na fusão mãe-filho inicial, mostrando ao filho a existência de um "outro" desejado e, com isso, inaugura-se a alteridade. A manutenção da ideia de que o "terceiro" teria que ser o pai-homem promove um deslizamento do simbólico para o imaginário, evidenciando o vínculo que a psicanálise sustenta com a manutenção de uma "ordem familiar" patriarcal (Zambrano, 2006). Não existem outras formas de parentalidade, ou não interessa, para o pensamento hegemônico, torná-las inteligíveis socialmente, o que permitiria nomeá-las, como diria Butler (2003). "A contínua tentativa de degradação do lugar da mãe, do pai e do filho, na nomeação *filho da mãe / filho da puta*, implica uma dificuldade no que se refere à filiação, não especificamente na trama familiar, mas na rede social" (Musatti-Braga; Rosa, 2018, p. 13).

Retome-se aqui que destacamos a importância da legitimidade do porta-voz dos enunciados fundamentais para a transmissão da cultura. A desqualificação e a suspeição sistemáticas dessas mães, buscando interceptar a sua transmissão cultural e fazendo valer sobre seus filhos o discurso da criança generalizada, obedecem à lógica da manutenção da tradição, da manutenção dos lugares sociais e das relações de poder e de patrimônio.

Filiação e afiliação: um lugar na ficção familiar e social

Nos atuais contextos de deslocamentos e consequentes reconfigurações familiares, cabe à parentalidade possibilitar a construção de uma nova trama de ligação entre as filiações, entre o lugar de inscrição numa ficção parental, o lugar numa trama geracional fundada nos elementos da cultura e as afiliações (lugar social) (Carmo-Huerta; Rosa, 2013). O sujeito é afetado pelo discurso social, e o lugar que lhe é destinado no campo social não é sem efeitos para sua subjetividade.

A parentalidade é um lugar instituído no campo social – a partir do nascimento de uma criança o campo social institui aqueles que terão a função de intermediar a constituição subjetiva da criança/filho.

Segundo Rosa e Lacet (2012, p. 362),

> [...] a cada nascimento de uma criança são postas em jogo as coordenadas que sustentam o grupo social e possibilitam o exercício das funções materna e paterna, que se operam a partir dos lugares (materno, paterno, filial) atribuídos ou não aos membros de determinada comunidade. Sua eficácia não é independente das coordenadas desse grupo, uma vez que a família é, ao mesmo tempo, o veículo de transmissão dos sistemas simbólicos dominantes e a expressão, em sua organização, do funcionamento de uma classe social, grupo étnico e religioso em que está inserida.

O nascimento de uma criança é um acontecimento que transcende o público e o privado, pois tem uma dimensão traumática que toca o real impossível de significar – e produz efeitos simbólicos e imaginários. Escrever um lugar no discurso para a criança como "filho de" institui as funções parentais e atribui a ela, além da vida nua (*zoé*), uma vida apoiada na estrutura sociopolítica-libidinal (*bios*), resultado da transmissão de uma herança simbólica, imaginariamente atada à transmissão da tradição de uma comunidade.

Portanto, o desafio ético e clínico da psicanálise é distinguir a função civilizatória da transmissão da cultura da função de manutenção de uma ordem social específica que hierarquiza lugares a ponto de sujeitar parte da comunidade à posição de *resto do social* (Carmo-Huerta; Rosa, 2013).

Vale advertir sobre a atualização de modos históricos de sujeição de parte da população à posição de submissão para a manutenção de poderes e privilégios e apropriação privada do cabedal material e cultural, em que a troca de favores prevalece ao bem comum. Importa também ressaltar que deve fazer parte da clínica psicanalítica, e compor sua função ética e política, a possibilidade de romper com o discurso social que subjuga o outro no cotidiano da pobreza, da segregação e do racismo. Nessa direção, cabe ao psicanalista sustentar a perda da ilusão e do gozo de usufruir acriticamente da cultura recebida, convicto de que ela garante a proteção de todos, negando a presença cotidiana da violência. Também nessa direção cabe aceitar o convite para transformação social:

Vamos todos cirandar!
Vamos dar a meia volta
Volta e meia vamos dar.

Referências

AGAMBEN, Giorgio. *Homo sacer: o poder soberano e a vida nua.* Belo Horizonte: Editora UFMG, 2002.

ARIÉS, Philippe. *História social da criança e da família.* Rio Janeiro: Ed. Guanabara, 1978.

AULAGNIER, Piera. *A violência da interpretação.* Rio de Janeiro: Imago, 1979.

BADINTER, Elisabeth. *Um amor conquistado: o mito do amor materno.* Rio de Janeiro: Nova Fronteira, 1985.

BASTOS LIMA, Regina Celi. A importância da babá na construção da subjetividade. *Primórdios,* Rio de Janeiro, v. 3, n. 3, p. 53-66, 2014.

BENJAMIN, Jessica. *Beyond doer and done to: Recognition Theory, Intersubjectivety and the Third.* New York: Routledge, 2018.

BUTLER, Judith. *Problemas de gênero: feminismo e subversão da identidade.* Tradução de R. Aguiar. Rio de Janeiro: Civilização brasileira, 2003.

CARMO-HUERTA, Viviani; MORO, Marie Rose. Nmaira, une adolescente créatif face aux alèas de la non-transmission maternelle. *Revue L'Autre.* (No prelo.)

CARMO-HUERTA, Viviani; ROSA, Miriam Debieux. O laço social na adolescência: a violência como ficção de uma vida desqualificada. *Revista Estilos da Clínica,* IP-USP, v. 18, n. 2, p. 297-317, maio/ago. 2013. ISSN 1415-7128.

COSTA, J. F. *Ordem médica e ordem familiar*. Rio de Janeiro: Graal, 1989.

DEL PRIORE, Mary. *Ao sul do corpo: condição feminina, maternidades e mentalidades no Brasil colônia.* Rio de Janeiro: José Olympio; Brasília: EdUnb, 1993.

DINIZ, J. Ciranda: roda de adultos no folclore pernambucano. *Revista do Departamento de Extensão Cultural e Artística*, Rio de Janeiro: UERJ, 1960.

FONSECA, Cláudia. Mãe é uma só? Reflexões em torno de alguns casos brasileiros. *Revista Psicologia USP*, v. 13, n. 2, p. 49-68, 2000.

FONSECA, Cláudia. Ser mulher, mãe e pobre. In: DEL PRIORE, Mary. (Org.). *História das mulheres no Brasil.* São Paulo: Contexto, 1997. p. 510-553.

FREUD, S. (1909). O romance familiar dos neuróticos. In: O delírio *e* Os sonhos na Gradiva, *análise da fobia de um garoto de cinco anos e outros textos (1906-1909).* São Paulo: Companhia das Letras, 1976. p. 419-434. (Obras Completas, volume 8).

FREYRE, Gilberto. *Casa grande & senzala: formação da família brasileira sob o regime da economia patriarcal.* Rio de Janeiro: José Olympio, 1981. p. 3-87.

GONZALEZ, Lélia. *Primavera para as rosas negras: Lélia Gonzalez em primeira pessoa.* São Paulo: Ed. UCPA, 2018.

IBGE. Pesquisa Nacional por Amostra de Domicílios – PNAD, 2015. Disponível em: <https://bit.ly/3hn1YaF>. Acesso em: 12 maio 2020.

LACAN, Jacques. Alocução sobre as psicoses na criança. In: *Outros escritos.* Rio de Janeiro: Jorge Zahar, 1981. p. 359-368. (Trabalho original publicado em 1967.)

LACAN, Jacques. (1983). Duas notas sobre a criança. *Ornicar? Revue du Champ freudien,* n. 37, avril-juin 1986, p. 13-14. Tradução de Durval Checchinato. Disponível em: <https://bit.ly/2XcYldY>. Acesso em: 18 maio 2020.

LACAN, Jacques. La famille. In: *Encyclopédie Française.* Vol. 8: La vie mentale. Paris: Larousse, 1938.

LEGENDRE, Pierre. Seriam os fundamentos da ordem jurídica razoáveis? Tradução de L. Levy. In: Sonia Altoé (Org.). *Sujeito do desejo, sujeito do direito*. Rio de Janeiro: Revinter, 1999. p. 01-59.

MARTINS, Aline. *As voltas do reconhecimento na clínica e política da psicanálise.* Tese (Doutorado em Psicologia Clínica) – Instituto de Psicologia, Universidade de São Paulo, São Paulo, 2020.

MUSATTI-BRAGA, Ana Paula. *Os muitos nomes de Silvana: contribuições clínico-políticas da psicanálise sobre mulheres negras.* Tese (Doutorado em Psicologia Clínica) – Instituto de Psicologia, Universidade de São Paulo, São Paulo, 2015.

MUSATTI-BRAGA, Ana Paula; ROSA, Miriam Debieux. Escutando os subterrâneos da cultura: racismo e suspeição em uma comunidade escolar. *Psicologia em estudo*, n. 23, p. 1-16, 2018.

NOGUEIRA, Isildinha Batista. *Significações do corpo negro*. Tese (Doutorado em Psicologia) – Instituto de Psicologia, Universidade de São Paulo, São Paulo, 1998.

POSTMAN, Neil. *O desaparecimento da infância*. Tradução de S. M. de A. Carvalho e J. L. de Melo. Rio de Janeiro: Graphia, 1999.

ROSA, Miriam Debieux. *Histórias que não se contam: o não-dito e a psicanálise com crianças e adolescentes*. São Paulo: Casa do Psicólogo, 2009.

ROSA, Miriam Debieux; LACET, Cristine. A criança na contemporaneidade: entre saber e gozo. *Estilos da Clinica*, v. 17, n. 2, p. 359-372, 2012.

ROUDINESCO, Elisabeth. *A família em desordem*. Rio de Janeiro: Jorge Zahar, 2002.

SADER, Emir. África, um continente em história? *Ideias online: Arte e ciência*, 2002. Disponível em: <https://bit.ly/2X7J3bW> . Acesso em: 27 maio 2020.

SEGATO, Rita Laura. *Raça é signo*. Brasília: Departamento de Antropologia, Universidade de Brasília, 2005.

SCHUCMAN, Lia Vainer. *Famílias inter-raciais: tensões entre cor e amor*. Salvador: EDUFBA, 2018.

SOUSA, Neusa Santos. *Tornar-se negro ou as vicissitudes da identidade do negro brasileiro em ascensão social*. Rio de Janeiro: Graal, 1990.

VOLNOVICH, Jorge. A criança, a família e a história. In: Volnovich, J. (Org.). *A psicose na criança*. São Paulo: Relume Dumará, 1993. (Lições Introdutórias à psicanálise de crianças)

ZAMBRANO, Elizabeth. *O direito à homoparentalidade: cartilha sobre famílias constituídas por pais homossexuais*. Porto Alegre: Vênus, 2006.

Economia libidinal da parentalidade

Christian Ingo Lenz Dunker

Inícios, repetições e degradações

Freud dedicou-se bastante a três problemas no vasto campo da psicologia da vida amorosa: a virgindade, a homossexualidade e o que ele chamava de "a mais geral degradação do objeto amoroso". Se tomamos a virgindade não apenas como correlato do primeiro intercurso sexual, mas também como paradigma do primeiro encontro, temos aqui a importância das experiências inaugurais, aquelas que transformam tudo em nós depois que acontecem. O primeiro beijo, o primeiro orgasmo, a primeira sensação incompreensível, a primeira vez que notamos aquela outra pessoa de forma "diferente". Esses primeiros encontros têm a força de nos atrair para a sua repetição, como crianças que pedem para contarmos novamente a mesma história e adultos que vivem repetindo aquela mesma piada. O trabalho de repetição do prazer, preservando e modificando sua forma original, acontece também quando falamos de experiências desagradáveis, demasiadamente intensas ou precoces e que acabamos trágica ou misteriosamente reproduzindo em nossas relações.

Nesse sentido, amar é repetir amores anteriores e começar outros inéditos. A força da repetição, a constância da reprodução de seus modos de satisfação e a regularidade do retorno a signos marcantes de nossos encontros com os outros levaram os psicanalistas a conjecturar uma homologia entre as relações de troca afetivas e as trocas econômicas. Ambas operam produzindo valor. A unidade de medida desse valor foi chamada de "libido", por isso podemos falar em uma *economia libidinal da parentalidade* para falar das mudanças que ocorrem quando um casal começa uma nova família, com a chegada de filhos.

Há certas condições sem as quais nós não conseguimos amar, desejar ou gozar com outro. Algumas são *necessárias*, sem elas nenhuma forma de amor é possível. Outras são condições negativas, que tornam a relação impossível. Uma vez atendidas tais condições, precisamos da *contingência* que torne a troca efetiva e real. Como regra geral, podemos dizer que, quanto mais extensas e minuciosas, mais coercitivas e restritivas, mais dependentes e limitadas pelos prazeres alheios forem essas condições, mais neurótico o sujeito e mais restrita sua capacidade de amar.

Assim como o estudo da virgindade tornou-se um paradigma da importância dos inícios, a investigação sobre a homossexualidade mostrou que as condições da libido humana não seguem leis da natureza, mas da economia das trocas libidinais, com outros e com nós mesmos.

A terceira observação freudiana sobre a psicologia da vida amorosa, além da força repetitiva dos inícios e da variedade indeterminada de seus fins, é que as relações humanas, amorosas, desejantes ou gozosas tendem a se degradar entropicamente. Essa força demoníaca que tende a fazê-las acabar e recomeçar pode ser comparada à transição que popularmente acontece na passagem da paixão ao amor e sua insuficiência ou impotência para enfrentar os desafios de uma vida comum. A paixão traduz a experiência do "encaixe" perfeito do outro em nossa fantasia, por isso ela tem mais que ver com uma amálgama entre desejo e gozo do que com o amor ele mesmo. Como se o roteiro do filme já estivesse todo escrito, os cenários definidos, as câmeras prontas, e aí aparece aquela pessoa que é ao mesmo tempo nova e desconhecida, e sentimos como se já tivesse estado aí desde sempre. Essa força vem dos amores passados, cujas imperfeições foram esquecidas. Mas, ao superar o momento de escolha e da sedução e ingressar no tempo da vida comum, a paixão se degrada em amor.

Quando as ilusões que determinavam nossa escolha e fascinação são vertidas no amor da vida comum, descobrimos que as malas foram feitas e as passagens foram compradas. Mas para onde rumará a viagem conjugal? Nessa viagem muitos serão os problemas e dificuldades. Vários inícios e repetições, ainda que ritualmente. Às vezes, sem nem nos darmos conta, refazemos o ritual e a história daquela escolha mútua. A passagem da conjugalidade para a parentalidade é uma dessas situações.

Deixado à sua própria sorte, sustentado apenas por seu capital inicial, sem novos aportes experienciais, o amor tende a acabar. Declínio do desejo, redução da intimidade, descuido com o outro, covardia ou falta de implicação com nossos sonhos seguem tendencialmente o caminho normalopático pelo qual aquele ente antes amado torna-se representante de todas as proibições e limites. A mulher sente-se um dragão e se vê obrigada a consolar-se com os filhos, enquanto o homem retorna para a antiga mesa de bar, diz Freud... em 1917.

A economia libidinal da conjugalidade envolve altas e baixas na bolsa, períodos de superaquecimento e refluxo, inflações narcísicas e depreciação sazonal da moeda. Há casos notórios de moratória, concordata e falência a céu aberto, ainda que desconhecidos pelos envolvidos, mas nem sempre pelo mercado. De todos os momentos críticos da conjugalidade, o mais agudo e radical é a chegada dos filhos. Com eles, passamos da circulação fechada do casal de dois, para a economia libidinal da parentalidade compreendendo três termos – tantas outras possibilidades.

Disjunção de fantasias

Filhos de casais que não viveram juntos, filhos adotivos, filhos por ovodoação, filhos de casais que se desfizeram com a gravidez, filhos de homossexuais, enfim, qualquer condição de filiação, sempre presumem uma determinada economia libidinal parental. Mesmo os filhos indesejados e aqueles decorrentes de fertilizações artificiais estão referidos a um encontro originário ou ficcional. Mesmo na ausência de um dos genitores ou sob efeito de amores fugazes, a chegada de um filho reatualiza uma questão que não cessa de se repetir, particularmente nos momentos de crise e transformação, ou seja: *De onde viemos?* Por maiores que sejam os fatos e documentos disponíveis, essa questão é sempre respondida em estrutura de mito. Isso ocorre porque a função do mito não é apenas marcar a origem, mas também criar futuros possíveis e interpretar limites.

Nesse sentido, somos todos adotados. Sempre conjecturamos: *Por que estes dois se encontraram para me conceber, quais as razões de seus desejos?* Note que isso é parcialmente incógnito para os próprios componentes de casal real. Inventamos histórias sobre outras origens possíveis porque isso nos exercita e nos faz especular sobre nosso destino. Entre nossa origem passada e nosso destino futuro, calculamos a mediana simbólica que nos dá, a cada vez, onde estamos e quem somos. O que nossos pais esperam de nós permanece um enigma, por mais que eles respondam, e até mesmo gritem.

A chegada de cada criança, importando aqui maximamente o lugar no ordenamento dos irmãos e dos gêneros, cria, retrospectivamente, um novo casamento, uma nova constelação de desejos e de forças que fizeram com que aqueles se encontrassem, naquele momento, para dar à luz aquele sujeito.

Vimos que a escolha amorosa depende de condições e circunstâncias, assim como ela pertence a uma série em repetição. Quando escolho um homem (no caso de uma escolha heterossexual), estarei ao mesmo tempo escolhendo, ainda que sem saber, um potencial pai? Um ótimo marido pode se transformar em um péssimo pai, e assim recíproca e inversamente. Há também ótimos maridos que atendem cláusulas restritivas ou prescritivas para a condição viril. A esposa é a futura mãe dos filhos? Considerações como essas levam a crer em uma espécie de combinatória na determinação da conjugalidade, combinatória na qual o caráter centrífugo ou centrípeto da relação entre desejo e amor pareia-se de modo contingente com nossas condições de gozo e variam com nossos modos de apresentação de semblantes. Filhos são uma posição não ignorável nesta estrutura, mas eles não são o centro de gravidade do sistema.

Levar adiante uma relação quando se ouve que o outro não quer filhos, e você quer, pode ser um tormento e uma terrível divisão subjetiva. Com o adiamento cultural da decisão de ter filhos e com os recasamentos cada vez mais frequentes, percebe-se que o lugar do filho existe e é eficaz, e, mesmo que ele nunca aconteça, a conjectura permanece. O ônus do sim ou do não fará parte da relação dali em diante. Um filho cria uma dilatação temporal da conjugalidade. Mesmo que o casal se dissolva, a parentalidade continuará junto nos cuidados e na responsabilidade irreversível dispendida em relação ao filho. Talvez por isso a decisão de ter um filho seja vivida por tantos casais como um signo maior de amor e uma prova decidida do desejo.

Às vezes, essa é a primeira parada da viagem que um casal pode inventar para si. Outras vezes, essa é uma parada compulsória. Tantas outras, elas advêm da baixa criatividade para inventar outras paradas. Há casos em que o desejo de ter um filho coloca de forma tão amarga o ajuste de contas com a própria origem, que este desejo se torna perigoso ou interditado. Outras vezes a narrativa de que filhos são a consequência natural e compulsória de um amor conjugal verdadeiro é tão coercitiva e superegoica que seu efeito é de recalcar o desejo de maternidade ou paternidade. Por outro lado, a narrativa social dominante sobre filhos é tão sobrecarregada de heterossexualidade que casais homoafetivos podem suprimir o desejo de parentalidade.

Surge então um conflito entre a forma como se foi amado e forma como se quer amar. A forma como se resolve esse passivo amoroso é crucial para a economia da parentalidade. A cada nova relação se terá que decidir entre duas políticas básicas: levar consigo, na nova viagem, os filhos e quejandos da relação anterior, potencialmente enriquecendo-a, vivendo maternidades e paternidades cruzadas, o que tornará tudo mais complexo; ou amortizar progressivamente o peso e a importância das parentalidades anteriores, geralmente sobrecarregando o parceiro. Isso tem relação direta com dois fatores: a forma como se interpreta a dissolução anterior e a maneira como o novo amor se constitui, se ele é avarento ou generoso.

Nossas fantasias funcionam como uma espécie de banco central, capaz de emitir moeda e regular investimentos, mas não são suficientemente poderosas para vencer todas as tendências do mercado. Vimos também que amar, desejar e gozar são coisas que se aprende, ainda que limitadas pelo princípio do repetir e incorporar. Uma das coisas mais dolorosas de aceitar é que aqueles a quem devotamos nosso mais intenso e primitivo amor inicial, nossos pais, não podem ser objetos de nossas escolhas sexuais. Aprendemos então a separar a corrente terna da vertente sensual do amor. Isso se torna um problema quando começamos a namorar e temos que reunir novamente as duas coisas na mesma pessoa. Mas isso é dramaticamente complexo quando se trata de olhar para o outro e perceber que ele ou ela não é apenas alguém que tem traços e afinidades com seu pai ou com sua mãe, mas que seu par conjugal transformou-se em outra pessoa: ele agora *é* um pai ou *é* uma mãe.

Há um choque de realidade e um choque de fantasia nessa descoberta, o que demanda um largo tempo de trabalho que deveria estabelecer um compromisso de compreensão pelas partes do casal. Isso ajudaria a entender estranhos acontecimentos que cercam a gravidez: irrupções de ódio, perda ou intensificação desproporcional da libido, estados de estranhamento e desatenção, temores infinitos e paixões insensatas. Consideremos as alterações de hormônios, as profundas mudanças corporais que cercam o parto e o puerpério, a violência obstétrica, infelizmente ainda tão comum. Isso torna aquele corpo erógeno, por quem e com o qual nos apaixonamos, um corpo estranho para nossa própria fantasia. Como as fantasias são singulares e diversas, o que podemos elencar aqui não passa de uma combinatória não exaustiva de desencontros.

A disjunção entre as fantasias ocasionada pela irrupção de um novo elemento da economia libidinal conjugal pode tornar dois tórridos amantes uma dupla de estranhos que acorda em meio a um terrível engano. Sentem-se transformados em uma dupla de síndicos administrando a moradia e as contas domésticas, feitores de escravos de sua majestade, o bebê, sócios de uma firma de advocacia brigando por centímetros de direitos e deveres ou em uma junta de especialistas em medicina ou psicologia.

Mas o efeito oposto também é observado. Casais que se aproximam, ganham intimidade e companheirismo ao descobrir traços trazidos à luz pela forma como o outro se manifesta pai ou mãe. A antiga ideia de que um filho pode salvar um casamento não é inteiramente desprovida de propósito, ainda que na maior parte dos casos o sucesso ocorra por motivos diferentes dos pretendidos.

Frequentemente os reforços envidados por avós, tios e funcionários de escolas tornam a já exígua intimidade do casal devassada pela intrusão pública. Surgem opinadores, mal ou bem-intencionados, discursos de especialistas e comentaristas invejosos de plantão. Isso altera substancialmente a relação que o casal, pensado como pequena comunidade, tem com seus ascendentes. Nesse caso, é muito comum que impasses infantis sejam recolocados em termos de preferências e ressentimentos amorosos que se transferem para o novo ser e para a forma como cada um tem sua paternidade ou maternidade autorizada a partir dos outros.

Os cuidados com o bebê expõem vísceras e cheiros, alimentos e resíduos, objetos espalhados e cansaço crônico. O centro de gravidade da família se altera. Nossas identificações narcísicas são retorcidas a migalhas, agora que um novo soberano dita quando se dorme, quando se come e quando os vassalos serão chamados a cuidar de vossa realeza. Isso pode reunir os casais em torno de um "inimigo comum" e contra ele, mas levará a uma crise no interior da qual lentamente se reconhece que pais e mães também nutrem afetos pouco gloriosos em relação a seus filhos. Muitos casais superinvestem as relações duais, de cada qual com a criança, como uma forma de sobreviver ao tsunami da conjugalidade. Doravante amam-se exclusivamente através dos filhos e são estranhos quando separados dessa mediação. Seu desejo se obriga a se sustentar dessa maneira, e o pouco gozo que lhes sobra intensifica ou redobra as preocupações e os cuidados com a prole. Muitas vezes esse é o tipo de casamento que se estrutura para a criação de filhos e que permanece deficitário, enquanto conjugalidade, até que os filhos cresçam e saiam de casa (ou até que percebam isso e se condenem a ficar ali indefinidamente), quando então sobrevém a devastação.

Outro ponto que concorre para a disjunção de fantasias é a narrativa social idealizada que vê na parentalidade o supremo destino e a maior realização que se pode almejar na vida terrena. Ela veste com uma camisa de força afetiva a forma como maternidade e paternidade devem ser vividas, reproduzindo e intensificando de modo esmagador a desigualdade na distribuição de tarefas, no tipo de reconhecimento e na exigência de perfectibilidade. A distribuição das tarefas domésticas e do racionamento de alegrias e tristezas parecerão profundamente injustas. No caso da maternidade, o reconhecimento social dispensado para o enorme desgaste de trabalho requerido é muito baixo. Isso tende a potencializar o sentimento de inequidade já vivido pelas mulheres em termos de remuneração, acesso a cargos de decisão e poder, representatividade cultural, quando não do machismo ostensivo.

Tipicamente a loucura e os sofrimentos dos jovens pais piora porque se sentem menos adequados, menos eficientes e menos felizes do que deveriam estar. Nessa situação, duas tentações óbvias assediam nossa fantasia, temporariamente desligada daquela(e) que um dia escolhemos para amar. A primeira falsa nos faz perguntar: *Quem é o(a) causador(a) disso tudo, o(a) culpada(o) último(a) por esta pane libidinal, aquele(a) que trouxe esta criança para minha vida?* Se respondemos: *Eu*, vem a depressão. Se dizemos: *O outro*, anuncia-se a paranoia crítica. E se murmuramos: *Eles* (nossos pais, o vil mundo, o destino, o sistema patriarcal), prepare-se para a espiral da condenação superegoica. Nos três casos, o efeito colateral é redução da libido.

Outro grupo de perturbações da economia libidinal do casal decorre do fato de que uma criança é um bálsamo para nosso narcisismo. Ela comprova nossa potência fálica e nos faz passar de fase no videogame da vida. Já se mostrou que pessoas com filhos são vistas como capazes de assumir maiores responsabilidades e, portanto, ganham um bônus de confiança e um sobreinvestimento social. Mas, de novo, esse bônus não é distribuído de forma equânime quando se faz um recorte de raça, gênero, classe social e etnia. Isso pode impactar de modo dramaticamente diferente a carreira de uma mulher e a de um homem, o que acalenta ressentimentos.

Terceiros e quartos

A emergência de um novo termo na equação conjugal requer uma nova partilha de recursos afetivos. É muito comum que esse terceiro, que atrai sobre si todas as atenções e interesses, desperte ciúmes, que suas preferências criem inveja e que esta comece a ser "orquestrada" pelo pequeno rebento. A competição pelos agora escassos recursos de tempo, atenção e dedicação pode gerar retaliações incompreensíveis que podem atrapalhar bastante o progresso na arte da paternidade ou da maternidade. Muitos casais preferem colocar outra coisa no lugar desse terceiro: animais de estimação, projetos comunitários, cuidado com familiares e até mesmo traições mais ou menos consentidas.

A regularidade estrutural, nesse caso, sugere que o desejo vive de repetição, mas também de terceiros e quartos.

O conflito ou a divisão trazidos pelo terceiro podem ser resolvidos pela redução do trio a díade. Aqui surge uma confusão típica pela qual o filho é tratado em posição de igualdade na competição, como um rival amoroso. Isso mostra como a emergência da parentalidade afeta e redimensiona nossa posição viril e nossas fantasias de sermos escolhidos no desejo do outro.

A dificuldade de integrar conjugalidade e parentalidade pode manifestar-se também pela redução de um dos elementos do casal ou de ambos a um equivalente do filho. Dessa maneira, o casal sobrevive, mas às custas, por exemplo, da parasitagem do amor materno por parte do marido que se acomoda na posição de um filho mais velho, regredindo em sua forma de ser amado.

Há ainda o grupo de casos no quais o casal percebe que seu investimento parental drena recurso da conjugalidade de tal maneira que o investimento na criação dos filhos fica prejudicado. Uma mulher pode sentir que perdeu o amor de seu marido com a chegada do filho e puni-lo como representante desse desamor. Uma mãe adolescente pode ter uma filha que repete o gesto, oferecendo a chance de a avó realizar a maternidade suprimida.

Isso pode se desdobrar em alianças e identificações que serão reforçadas pelo fato de que criar um filho é refazer nosso próprio percurso como filho(a). Cada impasse vivido desde o desmame até a chegada de irmão, da entrada na escola até a passagem para a adolescência é vivida em três planos:

a. O da(o) filho(a) ele(a) mesmo(a), com suas necessidades e interesses próprios, com suas verdadeiras singularidades, com seus hábitos opacos e indecifráveis, com seus exasperantes e adoráveis professores, amigos e namorados(as).
b. O de nossa identificação, por meio da qual fantasiamos a correção e o ajuste de tudo aquilo que ficamos devendo em nossa própria história desejante. É a repetição invertida: *Se fui um tímido desajeitado, ele tem que ser um galã;* ou a repetição simétrica: *Se deu certo comigo, tem que dar certo com minha filha também.*

Como se tivéssemos aprendido tudo sobre educação julgando como nossos pais erraram e acertaram, ajustando o sinal de acordo.

c. O de nossa negociação com a(o) parceira(o) de empreitada cuidadora e educativa. Aqui se desdobra a conversa infinita sobre as diferentes políticas que são exercidas ao longo da criação: os revezamentos de razões vencedoras, a concorrência de soluções e a acumulação de erros reais ou imaginários duplicam a conversa já em curso sobre a vida e a viagem conjugal. Por outro lado, surge aqui um novo campo de provas pelo qual a concórdia e o ajuizamento da realidade podem se manifestar com o tempo, o que nem sempre acontece nas conversas dualizadas e circulares que habitam o universo conjugal.

A chegada do filho não precisa ser apenas uma intrusão e um potencial excesso de bagagem na viagem conjugal, pois ela oferece uma série de atrativos. Amar e ser amado por um filho pode ser extremamente pacificador para nosso narcisismo. Reaprendemos o grande valor dos pequenos gestos, a desimportância das grandes ostentações, bem como a efemeridade dos signos imaginários de admiração. Além disso, temos a chance única de repetir a escolha anterior e nos apaixonar de novo, pela mesma pessoa (que agora se tornou outra, assim como nós). Se seu casamento resistiu a isso, vocês amealharam um tremendo capital afetivo e desejante. Aqueles que conseguiram dobrar o Cabo das Tormentas uma vez, tornando-o Cabo da Boa Esperança, tendo recriado seu casamento, adquire um superpoder, que é o de se refazer, tornando a corda, da qual é feita o laço, mais sólida e segura. Mas muitos podem emergir chamuscados e semidestruídos por essa aventura, da qual o casamento pode não se recuperar jamais. Dizem que quando o filho completa três anos é uma boa hora para avaliar a travessia, e ver que sobrevivemos a isso é um forte sinal de que a travessia pode ser feita de novo.

A parentalidade é uma ótima ocasião para a reinvenção da intimidade do casal. Desconfio que muitos casais gestam o desejo de ter filhos no contexto da invenção dessa nova forma de amar. A vantagem de o outro ter se tornado um estranho (aceita que dói menos) é que ele pode ser cortejado como no início, conquistado e seduzido de modo a repetir uma primeira transa com aquela mesma outra pessoa (que agora veste outro corpo). Em geral, quando anuncio essa perspectiva, meus analisantes reclamam. Afinal, é mais um trabalho psíquico para alguém que se tornou alérgico à expressão "mais trabalho". Declaram-se em estado libidinal pré-falimentar. Insistem que não há meios, recursos ou tempo para introduzir mais uma tarefa. Ademais, isso desrespeita a "naturalidade" das coisas. Lembremos aqui que na fantasia, assim como no mercado ou na vida cotidiana, não há lugar para o vácuo, o espaço livre tende a ser imediatamente ocupado.

A parentalidade traz uma nova chance para tudo aquilo que não conseguimos ser. O testemunho vivo e real de nossa potência para criar. O encadeamento em uma existência que ultrapassa nossa individualidade solitária. Muitos dirão que um breve sorriso de seus filhos é retribuição suficiente para rasurar em um instante e para sempre os cinco parágrafos anteriores que você leu e já esqueceu. Esse efeito de esquecimento, semelhante ao que acontece com as dores do parto, vai se aprofundando ao longo da jornada e assumindo o justo volume e a justa proporção na carroça de nosso desejo. Esse esquecimento é feito dos restos e dos excessos da jornada, como os bilhetes de embarque, mas também o que pagamos com nosso corpo para fazer parte dela. Por isso, além do lugar do terceiro, a parentalidade tem que lidar com a função do quarto.

Homem-pai e mulher-mãe?

Claro está que cada casal vai distribuir e resolver os problemas e as demandas estruturais para integrar seus filhos, eventualmente tornando a economia conjugal mais rica, diversificada e interessante. Mas a parentalidade não é um acréscimo que incorpora a nova representação nominal de pai e mãe onde antes havia duas pessoas que se amavam, que caminharam juntas ou que simplesmente se encontraram nas quinas da vida. Há uma transformação real, simbólica e imaginária da economia libidinal quando a conjugalidade se desdobra em parentalidade.

Mas o lugar simbólico da criança, como terceiro, estava sendo construído muito antes que ela chegasse realmente ao mundo. Toda criança se torna parte da história dos desejos desejados por aquele casal, mas também pelas famílias deste, pelas comunidades a que pertence, pela sociedade onde aquele novo ser advém. Ela estava prevista pela própria estrutura da conjugalidade: *Eu te amo, você me ama, então agora para onde vamos?* O filho é um termo que pode vir a ocupar esse lugar do "para onde vamos", mas não há nenhuma necessidade natural e que isso aconteça, nem de que deva ser assim para todos. Muitos casais preferem não ter filhos o que levanta a tarefa de designar outros termos para ocupar esse lugar terceiro.

Uma característica importante da ideia de criança como uma espécie de obra de seus pais é que ela é estruturalmente uma obra sujeita à inadequação. O filho imaginado nunca é o filho encontrado. Somos todos anormais e deficitários em relação às expectativas e às funções que nos demandam. Por isso cada criança é depositária de nossos mais sublimes ou sintomáticos sonhos, mas também dos piores fracassos, no limite um pálido resto de um encontro, tal como ele poderia ter sido. Por isso seria melhor dizer que o lugar de pai e de mãe, ou de filho ou de filha, de homem ou de mulher, está sendo permanentemente construído pelos conflitos e contradições representados pela história dos desejos humanos. Isso significa que esse lugar não está pronto e preparado, boiando no vazio, esperando para ser ocupado, de forma adequada ou deficitária, pela encarnação divina do novo ser.

Assim como o filho aparece como terceiro em relação à viagem do casal, o que para efeitos teóricos chamamos de "função paterna", representa o terceiro em relação ao cuidador inicial da criança. O amor que cada um dos genitores desenvolve em relação ao filho cria uma espécie de bolha dual onde a partilha do amor acontece.

Funcionando como um espelho e expressão dos mitos individuais, essa dupla exerce a função de cuidar, antecipar sentidos e filiar a criança em uma constelação familiar que os precede. Quando falamos em família, frequentemente esquecemos que uma família não é uma decisão individual de duas pessoas que pretendem compartilhar suas vidas, mas um sistema de famílias. Uma família é sempre um sistema de trocas e interpenetrações, de alianças e de obrigações, de circulação e transmissão de bens simbólicos e materiais. Mas para cada qual existem outras coisas no mundo e outros desejos. Ora, todos os termos que a cada vez são mobilizados para se incluir nessa função terceira são os chamados "representantes da função paterna", independentemente de gênero. Por isso a função paterna pode ser exercida por aquela que biologicamente é chamada de mãe.

A construção da paternidade e a maternidade envolve o reconhecimento da diferença real, desse resíduo que existe entre as funções simbólicas e as expectativas imaginárias. Uma criança não é apenas uma obra ou uma extensão narcísica de seus pais, tanto porque ela é um sujeito quanto porque nela habita a função do filho como objeto depositário e testemunha de gozo, projeções e expectativas dos outros. A economia moderna da parentalidade, consoante aos nossos processos de individualização, é que os filhos cresçam, se tornem autônomos e conquistem o mundo, e não que permaneçam dependentes de nós e nós deles. Mas há um resíduo dessa operação. Ao longo do crescimento dos filhos, a qualidade e a intensidade muda, há mães que se realizam com bebês, outras com a filha adolescente. Há parentalidades que só se resolvem quando os filhos crescem e saem de casa, outros que desmoronam quando o "ninho" se esvazia e o casamento se vê desprovido de sentido.

A chegada de um novo ser traz um efeito imediato de inversão em uma função simbólica da qual já participávamos até então, ao sermos respectivamente filha(o) de nossos pais. Essa inversão nos coloca no lugar de pai ou de mãe, assim como faz o bebê no lugar de filho. Em muitas culturas é essa inversão que estabelece a passagem entre crianças e adultos. Contudo, tornar-se adulto envolve duas funções distintas: uma relativa ao uso dos prazeres, notadamente sexuais, e outra relativa à apropriação dos lugares parentais.

Essa inversão explica por que tão frequentemente os avós vivem a chegada dos netos com uma mistura de alegria e luto. Alegria pelo sentimento de tarefa concluída e pela chance de repetir as alegrias da criação, luto pelo declínio e pela prerrogativa de ocupar o lugar de pais. Gradualmente, eles começam outro processo de inversão, pelo qual serão cuidados e se tornarão mais dependentes, como um dia foram quando crianças. Doravante eles podem substituir as funções maternas ou paternas, mas em segundo plano. Ou seja, há uma reacomodação do sentido de autoridade, responsabilidade e de saber que altera profundamente a posição de cada um em relação aos seus ancestrais.

Conclusão

Essa realocação de termos, inversão de lugares e repetição de funções afeta nossa fantasia de desejo, introduzindo, especialmente para a mulher, experiências completamente inéditas no campo do gozo e da sua corporeidade, assim como reformulações das condições para amar e ser amada. Tornar-se "pai" ou tornar-se "mãe" são processos distintos, no tempo, na palavra e no corpo. Cada qual inventa sua parentalidade a partir da mitologia de sua família, das narrativas de sua cultura, bem como da constelação específica que preside a chegada do novo ser. Em muitas culturas, aquele que exerce sua autoridade e a quem a criança deve obediência é o tio cruzado, o irmão da mãe para o menino, o irmão do pai para a menina. Isso serve para mostrar como as relações libidinais entre um casal, seja ele homossexual ou heterossexual, não se confundem com as posições necessárias para participar do sistema das famílias. Muitos dizem que a relação com a morte se altera consideravelmente quando se tornaram pais; o peso de nossa ausência torna-se maior na cadeia de transmissão de desejos, que nos precederam e que nos seguirão.

O trato entre os viventes exige que cada um se posicione entre os que estão chegando e os que estão indo. Os diferentes sistemas simbólicos, como a economia, o direito, a religião e as artes, interpretam o sistema das famílias, definindo, a cada vez, prerrogativas e expectativas, interdições e prescrições. Por exemplo, é um acaso que na cultura ocidental o casamento e a relação sexual com genitores seja objeto de proibição como incesto. Em outras culturas essa proibição pode afetar outro tipo de relação dentro da família. Mas o fato universal, que desperta o interesse dos antropólogos, é que não há cultura conhecida em que não exista algum tipo de interdição dentro do sistema das famílias. Ou seja, podemos, em cada caso, escolher casar segundo uma regra de restrição do tipo n-1: *há pelo menos um(a) que não*.

Isso serve para mostrar que estamos diante de uma sobreposição contingente de três dimensões:

A *conjugalidade*, como conjunto dos laços de amor, desejo e gozo entre duas pessoas.

A *parentalidade*, como sistema de transmissão, herança e reconhecimento de uma criança como pertencente a uma família e, consequentemente, ao sistema das famílias, sejam elas homoparentais, heteroparentais, tentaculares, monoparentais e assim por diante.

As *identidades*, como constelação de reconhecimento de nossas soluções singulares, estilos próprios e montagens históricas de fazer frente à desassociação natural entre conjugalidade e parentalidade.

O ponto de cruzamento entre conjugalidade e parentalidade foi chamado, pela psicanálise de Complexo de Édipo. Ele envolve, para todos nós, uma forma positiva (na qual o filho se identifica como homem em seu pai) e uma forma negativa (no qual ele se identifica como mulher em sua mãe). Passar de homem ou mulher a pai ou mãe é menos uma operação de reprodução de papéis e modos compulsórios de gênero ou de naturalização de lugares e mais uma repetição e uma reinvenção da forma como cada qual recebeu e construiu sua própria solução edipiana. Por isso não há diferença substancial se a função materna (dual) ou a paterna (triádica), bem como a do objeto residual (quadrática), for exercida por pessoas heterossexuais ou homossexuais, assim como cisgênero ou transgênero.

Referências

CALLIGARIS, C. *ett ali. O Laço Conjugal.* Porto Alegre: Artes e Ofícios, 1999.

DUNKER, C. I. L. *Reinvenção da Intimidade: políticas de sofrimento cotidiano.* São Paulo: Ubu, 2017.

FREUD, S. (1912). Sobre a mais geral degradação da vida amorosa. In: *Amor, Sexualidade, Feminilidade.* Belo Horizonte: Autêntica, 2018. (Obras Incompletas de Sigmund Freud).

FREUD, S. (1910). Sobre um tipo particular de escolha de objeto nos homens. In: *Amor, Sexualidade, Feminilidade.* Belo Horizonte: Autêntica, 2018. (Obras Incompletas de Sigmund Freud).

FREUD, S. (1918). O tabu da virgindade. In: *Amor, Sexualidade, Feminilidade.* Belo Horizonte: Autêntica, 2018. (Obras Incompletas de Sigmund Freud).

Primeiros tempos da parentalidade

Thais Garrafa

O efeito mobilizador que a chegada de um filho tem sobre a vida psíquica dos pais não é novidade para a psicanálise. Nossa época, no entanto, tem nos convocado a expandir as reflexões sobre esses primeiros tempos e as exigências colocadas ao psiquismo. A procura de mães e pais por espaços para falar sobre parentalidade tem crescido em diferentes contextos: assistimos ao surgimento das "rodas de puerpério",[1] à proliferação do tema nas redes sociais e em grupos de WhatsApp, além do aumento expressivo da presença do tema na mídia.

Trataremos da contribuição da psicanálise para o estudo do trabalho psíquico imposto a mães e pais nos primeiros tempos da parentalidade, a partir de uma apresentação de questões que o estruturam e das noções teóricas que o delimitam. A noção de "função materna" tem sido destacada no ensino de Jacques Lacan para pensar as operações iniciais de constituição subjetiva. Essa expressão permitiu a separação entre a figura da mãe e a função que lhe seria correspondente, à medida que iluminou elementos universais da estruturação subjetiva, presentes de formas absolutamente variadas nas diferentes culturas, arranjos familiares e trajetórias pessoais. No Brasil, crianças acolhidas em serviços

[1] Espaços horizontais compostos principalmente por mulheres para falarem entre si sobre suas experiências com seus bebês.

institucionais ou por famílias acolhedoras,[2] ou criadas por avós, tias, madrinhas, pais solo ou em união homoafetiva atestam cotidianamente a efetividade dessa teoria. Além disso, em tempos de efervescente mudança nas relações sociais de gênero e sua consequente incidência sobre os papéis desempenhados por mães e pais, essa noção teórica adquire especial relevância.

A função materna não pertence necessariamente ao domínio da mãe – inclusive nas famílias em que esta figura está presente. Em síntese, essa noção delimita parâmetros para entender como, a partir do laço entre o bebê e o adulto que dele se encarrega, fundam-se relações entre o sujeito que se constitui e o Outro – escrito assim, com letra inicial maiúscula, para marcar seu lugar simbólico e primordial. Retornaremos a esses termos um pouco mais detidamente adiante, mas, desde já, acrescentamos que nada impede que essa função seja desempenhada pelo pai, ainda que as mulheres, culturalmente, larguem na frente por milhares de anos de história. Nesse sentido, poderíamos situar aqui discussões contemporâneas a respeito da pertinência da manutenção da nomenclatura "materna", já que essa função é separável da figura a que o nome remete. Porém, empreender uma trajetória rigorosa de renomeação dessa noção teórica desviaria o rumo deste capítulo e, por isso, tal noção será aqui mantida em sua forma original, para assegurar uma referência direta a sua história tal como estabelecida na obra de Jacques Lacan.

A operacionalidade clínica da noção de função materna não impede, entretanto, o questionamento de sua suficiência teórica para abarcar a relação de homens e mulheres com a maternidade e a paternidade. Originalmente, essa noção foi elaborada para se pensar os processos de constituição do sujeito, de modo que sua relevância se conecta a

---

[2] Instituições conhecidas anteriormente como "abrigos" são hoje denominadas "serviços de acolhimento institucional". Família acolhedora é uma modalidade de acolhimento para crianças e adolescentes que foram separados de suas famílias por ação do Estado. O bebê, a criança ou o adolescente que vive essa situação é acolhido temporariamente em serviço institucional ou família acolhedora, até que seja possível o retorno à família de origem ou a adoção.

esse fim. Quando retiramos a luz dirigida aos bebês e redirecionamos os holofotes para seus pais ou cuidadores, alcançamos um ângulo privilegiado para observarmos o trabalho psíquico que a parentalidade exige em seus primeiros tempos, trabalho este que inclui e extrapola as exigências das funções parentais.

Nesse contexto, este artigo aborda o trabalho psíquico inerente aos primeiros tempos da parentalidade a partir de dois eixos. Em primeiro lugar, veremos a entrada na parentalidade e as questões abertas pela nomeação "mãe" ou "pai". Em seguida, abordaremos possíveis efeitos da função materna sobre aquele que a exerce: mãe, pai, avó, educador de serviços de acolhimento, famílias acolhedoras, entre outras inúmeras possibilidades.

A posição parental e o paradigma da adoção

A reprodução do corpo não conduz, necessariamente, à parentalidade. No Brasil, a entrega voluntária de bebês para adoção está prevista na lei n.º 13.509/2017, que assegura assistência da Justiça da Infância e da Juventude no processo. A entrada na parentalidade não é, portanto, decorrência da gestação e do parto, mas de um ato da mulher ou do homem que assume o lugar de mãe ou de pai de uma criança. Nesse sentido, para a psicanálise, o ponto de partida da parentalidade sempre implica o paradigma da adoção.

Tomar a adoção como paradigma da entrada na posição parental põe em evidência o caráter decisivo do passo que se exige dos pais na transposição do abismo que separa pais e filhos na origem, quando nenhum desses dois nomes – "pai", "filho" – designa a posição de um diante do outro. Tenho proposto pensarmos esse passo como ato de entrada na posição parental, a partir de um paralelo com alguns fundamentos da noção de ato analítico, estabelecida por Jacques Lacan.

A noção de ato é cara ao ensino lacaniano. Seu desenvolvimento teórico envolve diferentes momentos de sua obra, embora seu *Seminário XV* (Lacan, 1967-1968) seja dedicado ao tema e apresente ideias norteadoras dos desdobramentos posteriores. No âmbito da entrada na parentalidade, uma aproximação com suas ideias gerais traz elementos importantes para uma abordagem da densidade desse passo, e da vacilação que o antecede em alguns casos.

O ato não é uma ação corriqueira: "Um ato é ligado à determinação do começo e, muito especialmente, ali onde há a necessidade de fazer um, precisamente porque não existe" (Lacan, 1968, p. 78). Nesse sentido, há um valor de inauguração, caminho sem volta, traçado de uma linha divisória entre um "antes" e um "depois", mas que só pode ser validado em um segundo momento, a partir se seus efeitos. Nesse sentido, ele se engendra a partir de uma lógica não racionalizável, que implica a antecipação de uma certeza, sem que se conte com apoio, reconhecimento ou garantia.

Essas características do ato analítico permitem pensar a entrada na posição parental como um mergulho que envolve solidão e risco. Um passo que implica a disposição para, a partir da relação com o filho, lançar-se a uma reorganização existencial que terá a criança como importante ponto de ancoragem – afinal, independentemente do laço estabelecido, só se pode ser pai ou mãe de alguém. O que há de se desdobrar a partir daí não se sabe de antemão; sabe-se, porém, que não há volta atrás, nem possibilidade de inverter o curso das posições em jogo: primeiro é preciso entrar na posição parental, para somente depois experimentá-la.

Alguns textos psicanalíticos trazem a designação "posição materna" para se referir ao lugar ocupado por aquele que exerce a função materna para um bebê. No entanto, no âmbito deste artigo, a entrada na posição parental refere-se à possibilidade de se nomear "mãe" ou "pai" de alguém e de sustentar esses significantes e os desdobramentos decorrentes de tal nomeação. Entendemos que assumir tais nomes e exercer a função materna são dois processos distintos, não necessariamente experimentados pela mesma pessoa. Assim como a função materna pode ser exercida por pessoas que não tenham vínculo parental com a criança, encontramos situações de mães ou pais que se nomeiam de tal forma mas não exercem a função materna – situações das quais falaremos adiante.

Quando há combinação entre essas duas vertentes, nomeação e função, geralmente ocorre primeiro o ato de entrada na posição parental e, depois, o estabelecimento da função materna. Mas também pode ocorrer a ordem inversa, como, por exemplo, o caso de um educador de serviço de acolhimento institucional que, no exercício das funções parentais para uma criança, decide abrir mão de seu emprego para adotá-la, ou, ainda, alguns casos específicos de adoção do filho do cônjuge. Em todo caso, circunscrevemos a entrada na posição parental com base na assunção do lugar de mãe e pai, ato que tem efeitos sobre quem o faz.

A relação com esses nomes mostra-se particularmente trabalhosa. Tomar para si os significantes "mãe" ou "pai" implica assumir uma posição na família, na sociedade e diante daquele que então passa a ser reconhecido como filho. Implica uma relação particular com esses termos na cultura e na história de cada um, relação esta que pode ser de adesão, ressignificação ou oposição aos sentidos que lhe foram atribuídos. Uma vez que participamos do mundo da linguagem, há sempre uma tomada de posição diante dos nomes que nos concernem.

A respeito da posição na família, nomear-se mãe ou pai de alguém tem a propriedade de alterar a composição familiar e inaugurar novas relações de parentesco. Diferentemente dos casos em que a função materna é feita por alguém que não tenha esse tipo de ascendência sobre a criança, a exemplo dos educadores de serviços de acolhimento e das famílias acolhedoras, a parentalidade implica inserir a criança em uma cadeia familiar e nela ocupar um lugar de "dobradiça" entre gerações, ponto articulador do que será ou não transmitido junto a um sobrenome.

Em um sentido mais abrangente da importância da relação com esses significantes, recorremos ao conceito de "semblante" para situar sua função de atribuir ao sujeito um lugar de discurso. Dunker (2017) esclarece que o conceito de "semblante" surge em um momento avançado da obra lacaniana e marca uma forte inversão em sua forma de conceber o lugar da aparência, anteriormente tomada como erro ou engano imaginário. O autor retoma a proposta lacaniana de trazer para o debate uma dimensão fundamental e estruturante da aparência, que subverte a ideia de fingimento, simulacro, dissimulação da verdade que o termo adquire na língua. No discurso lacaniano, "semblante" será situado em sentido oposto, como uma aparência que se mostra como aparência e, nesse sentido, toca a verdade do sujeito, remetida, justamente, à impossibilidade de nomear o ser.

Na abertura de seu seminário sobre o tema, Lacan ([1971] 2009, p. 18) afirma que "o semblante não é semblante de outra coisa", frase que, conforme comenta Safatle (2006, p. 136), remete à característica maior do semblante, o fato de ele não nos reenviar a outras referências, supostamente escamoteadas pelas aparências: "se o ser do sujeito revelou-se como falta de determinação empírica, então o que subsiste como aparência deve ser posto como puramente negativo". O semblante articula, portanto, a dimensão simbólica que nos permite entrar no discurso e fazer laço, e a dimensão inominável de nossa existência, referida ao que Lacan denominou real.

No contexto dessas elaborações, Lacan situou que não há discurso que não seja do semblante, isto é, todo discurso se ordena pelo semblante, pois este se coloca no lugar do agente, lugar de onde todo discurso parte. É pelo semblante, portanto, que se faz laço, "não há laço social que não seja da ordem do semblante, assim como todo ato que faça realmente laço, inclusive o do analista, é da ordem do semblante" (Quinet, 2015, p. 142).

Nesse contexto, "mãe" e "pai" situam-se como semblantes, aparências fundamentais para delimitar o laço que nelas se sustentam. Trata-se de uma sustentação significante para o inominável do ser que comparece a partir de uma posição em relação à criança, posição esta fabricada no ato de entrada na parentalidade. A clínica e a leitura de fenômenos sociais apontam a relevância desses semblantes para os sujeitos que os sustentam. Nesse sentido, coloca-se como hipótese a possibilidade de atribuirmos uma especial importância aos semblantes mãe e pai pelo modo como tocam o enigma da origem, que não cessa de inquietar o humano e a humanidade.

Recolocamos, aqui, a direção assumida no início deste texto de estudar o trabalho psíquico inerente aos primeiros tempos da parentalidade a partir de dois eixos. O primeiro deles pode ser agora circunscrito como ato de entrada na posição parental e assunção do semblante mãe ou pai. Passaremos, a seguir, ao segundo, voltado aos possíveis efeitos da função materna sobre quem a exerce.

Função materna

Lacan desenvolve a noção de função materna para situar como um adulto estabelece com um bebê uma relação privilegiada, por meio da qual lhe transmite a linguagem, de modo a possibilitar sua constituição subjetiva. Essa relação privilegiada estrutura-se sobre o que Lacan designou como "um desejo não anônimo" ([1969] 2003, p. 369), que pode ser lido como a designação do lugar absolutamente singular que cada sujeito ocupa na vida psíquica daquele que se encarrega de sua entrada no universo das relações humanas.

É a partir desse desejo particular que o adulto que cuida fundamentalmente do bebê interpreta seu corpo, nomeia suas experiências e suas produções, à medida que supõe nele um sujeito, pleno de sentimentos, saberes e intencionalidades. Para Lacan, aquele que entra nesse intenso jogo significante encarna para a criança o Outro, elemento simbólico fundamental da estrutura psíquica: lugar da linguagem e da alteridade. O Outro é encarnado nos primeiros tempos da constituição subjetiva por alguém que ofereça ao bebê sentidos e significados para suas manifestações; que as articule ao enredo de uma história de vida que precede sua chegada, marca seu corpo com palavras e atravessa sua existência. No *Seminário XI*, Lacan ([1964] 2008) descreve as operações lógicas inerentes a esse processo por meio do qual o sujeito se constitui a partir do desejo do Outro.

Há uma dimensão de trocas libidinais importantes nesse corpo a corpo; trocas que se costuram ao campo simbólico à medida que o agente da função materna toma as manifestações do bebê como apelos aos quais deve satisfazer. Um grito, por exemplo, que emerge como expressão de uma tensão interna, é interpretado como uma demanda dirigida ao Outro. A constituição do sujeito envolve essa transposição do organismo para o universo da linguagem, articulação que faz dele um corpo com o qual é possível gozar.

O exercício da função materna pressupõe que, sobre seu agente, tenha funcionado a função paterna – a qual, diga-se de passagem, também não pertence ao domínio do pai. Sua operacionalidade marca a impossibilidade de a linguagem tudo dizer, estrutura de nossa incompletude e capacidade de desejar. A função paterna assegura que o agente da função materna possa, ao mesmo tempo, tomar o bebê como objeto privilegiado de seu desejo, emprestar o próprio aparelho de linguagem para falar em nome dele e reconhecê-lo como *outro* – um sujeito a ser lido, mas nunca decifrado por completo.

Ocupar o lugar do Outro para um bebê é oneroso – não tanto pela necessidade de cuidados orgânicos, mas sobretudo pela exigência de trabalho psíquico. O cansaço de muitas mães e pais na experiência de cuidar articula-se à mobilização que esse processo implica. Ele exige uma disposição para oferecer ao pequeno: o próprio corpo como lugar de satisfações; o olhar que lhe devolve uma imagem de si; a voz que o fisga para o mundo das trocas amorosas e uma intensa produção de saber, a qual enlaça todos esses elementos e suas alternâncias em termos de presença e ausência.

O processo por meio do qual o agente da função materna envolve o bebê nesse universo foi extensamente abordado por Bergès e Balbo (2002) a partir da noção de "transitivismo". Lacan cita o transitivismo em seu trabalho sobre o Estádio do Espelho (1998a, p. 101), em referência às ideias de Henri Wallon (1989), para teorizar um momento da constituição do eu que envolve a identificação com a imagem do semelhante, cuja matriz reside na relação primária com o Outro. Essa ideia, desenvolvida também em outros momentos de sua obra, remete a um tempo em que a criança, por exemplo, chora ao ver outra se machucar ou, após bater em um colega, afirma que foi o colega quem bateu nela. Bergès e Balbo descreveram como aquele que ocupa o lugar do Outro para um bebê nomeia o que se passa em seu corpo à medida que se afeta por sua experiência – a exemplo da mãe que diz "ai" quando o filho se machuca.

Afetar-se pelo que se passa no corpo de um bebê, com o qual se mantém uma relação intensa, privilegiada e movida por um desejo singular, não é, pois, sem consequências para quem o faz. O transitivismo é "uma espécie de comunicação entre corpos, na qual as palavras de um narram e literalmente criam os sentimentos e reações corporais como a dor no outro" (Dunker, s.d.). A nomeação do que o bebê vive corporalmente envolve, pois, identificar-se com sua posição, experimentar o que se supõe afetá-lo e lançar mão de um recurso simbólico para que esse afeto aceda ao campo da palavra. Nesse sentido, a produção das marcas fundantes da constituição psíquica exige do agente da função materna uma intensa mobilização de sua própria corporeidade.[3]

Como vimos, essa mobilização tem importantes efeitos de satisfação para quem encarna o Outro, mas também o conduz ao encontro com o mistério e a estranheza do corpo – do bebê e o próprio. Apesar de estar sempre inclinado a decifrá-lo, a ler o que suas próprias palavras nele escrevem, encontra-se, a todo instante, com o que resta inapreensível pela linguagem. O encontro com essa dimensão indizível da existência, que remetemos ao conceito de "real" em Lacan, não é prerrogativa da relação com um bebê; mas é, nela, marcante e inevitável.

As versões da janela que se entreabre para o real na relação com um bebê variam, podendo passar por tudo o que a interpretação não recobre: o choro que não cessa, o sono que inexplicavelmente não se prolonga, o traço que se mostra irreconhecível na linhagem transgeracional ou, entre outras possibilidades, a nítida percepção de que o bebê é, antes e além de "sua majestade", apenas um corpo estranho no ninho familiar.

As reações a essa experiência também têm expressões variadas. Colette Soler dedicou um capítulo de seu livro *O que Lacan dizia das mulheres* à "angústia da mãe" (2005, p. 98-103). A autora conduz o leitor a avançar, a partir do texto lacaniano, para além do que Freud ([1914] 1986) consolidou acerca da satisfação que uma criança proporciona. Nessa trajetória, a ênfase da abordagem de Soler recai sobre as reações diante do bebê, que "é também objeto real, impossível de cifrar" (p. 101). A autora cita reações que vão do pavor ao deslumbramento, da euforia ao horror, incluindo certos casos em que esse encontro com o real pode provocar o delírio.

Sem anteparos suficientes para filtrar toda a intensidade que invade o psiquismo, resta ao agente da função materna inventar um modo de tratar o afeto decantado nesse processo. Vimos que, no ensino lacaniano, o Outro é lugar da linguagem e da alteridade; lugar, portanto, de referências e representações que alcançam o estatuto significante e o

[3] O tema do corpo tem presença crescente no ensino de Lacan a partir de seu seminário XX. Para uma síntese da noção de corporeidade, remeto o leitor ao texto de Christian Dunker "Corporeidade em Psicanálise" (2011).

universo infinito das trocas simbólicas. Encontrar-se com o que não pode ser transcrito para o campo da palavra envolve, pois, uma experiência de desamparo, apartada de toda a representação prévia.

Ainda que haja uma série de pessoas disponíveis para ajudar aquele que se encarrega prioritariamente do bebê, o desamparo de quem exerce a função materna é decorrência estrutural da impossibilidade de encontrar ancoragem simbólica para representar o que resta dessa vivência peculiar entre corpos. Se, por um lado, encontrar-se com o real do corpo do bebê e recobri-lo com palavras é parte fundamental da função materna, por outro, é também como resto inevitável dessa função que esse encontro se impõe. Lidar com essa dimensão implica suportar sua estranheza e estar às voltas com seu potencial disruptivo.

A intensidade dessas experiências nos dá indícios do trabalho psíquico imposto nessa relação especialmente próxima com um bebê. Seja ela exercida pela mãe, pelo pai, pela avó, por família acolhedora, por educador de serviço de acolhimento ou por qualquer outra pessoa, a função materna é mobilizadora e exigente do ponto de vista psíquico.

Como vimos, efeitos do exercício da função materna sobre seu agente diferenciam-se dos efeitos de assumir a nomeação "mãe" ou "pai". Embora essas duas dimensões se sobreponham em muitos casos, há situações que evidenciam sua separação, como ilustraremos a seguir.

Além da função materna

Para começo de conversa, lembremo-nos das mulheres[4] que experimentam sofrimento psíquico importante com o nascimento do filho e que geralmente recebem da psiquiatria o diagnóstico de depressão pós-parto. Essas mulheres mostram como a entrada na maternidade lhes inaugura intenso trabalho psíquico, mesmo nas situações em que

[4] Os exemplos escolhidos envolvem predominantemente mulheres diante da maternidade, e não mães e pais diante da parentalidade, em respeito ao modo como tais fenômenos se apresentaram. Aspectos culturais e o elevado índice de famílias monoparentais chefiadas por mulheres no Brasil contribuem para que as mulheres protagonizem essas situações na maioria dos casos.

o pai ou outra pessoa da família assume integralmente os cuidados e o laço fundamental com o bebê. São situações bastante diferentes daquelas que reconhecemos como entrega voluntária em adoção, nas quais as mulheres abdicam da posição de mãe da criança.

Um segundo exemplo pode ser encontrado em um fenômeno bastante comum nas periferias das grandes cidades do Brasil, provavelmente favorecido pela condição de extrema vulnerabilidade dessas localidades. Trata-se da experiência de mães e pais que cedo delegaram integralmente os cuidados de seus filhos a outras pessoas da família – avós, tias, madrinhas. Esses familiares às vezes residem com a criança na cidade natal dos pais que migraram; outras vezes, habitam o mesmo espaço de moradia ou o mesmo quintal. Essas crianças frequentemente chamam de "mãe" a pessoa que então exerce ou que exerceu a função materna, enquanto suas genitoras, de outro lado, seguem se reconhecendo como "mães", buscam notícias dos filhos, oferecem ajuda financeira, incluem as crianças em suas narrativas pessoais – situação bem retratada no filme *Que horas ela volta?*, de Anna Muylaert (2015). São casos que explicitam a separação entre o semblante e a função materna.

Podemos citar, ainda, a experiência de mães que perderam a guarda de seus filhos para o Estado. Diferentemente da entrega voluntária, essas mulheres se reconhecem no lugar de mães, porém não encontraram condições psíquicas e sociais mínimas para que as funções parentais pudessem ser exercidas no âmbito da família. Quer consigam quer não dar os passos necessários para recuperar a guarda de suas crianças, muitas dessas mães sofrem sobremaneira com a ameaça de destituição familiar – condição para que a criança se encontre disponível para adoção. Nos casos em que essa ameaça se torna realidade e o poder familiar é efetivamente destituído, assistimos ao intenso sofrimento psíquico que se inaugura com essa peculiar perda do semblante. Não é incomum que algumas dessas mães engravidem novamente em seguida, situação que provavelmente envolve a imbricação de uma série de elementos causais, entre os quais podemos situar, como hipótese, a tentativa de restaurar a função do semblante.

Na outra ponta da cena, casos de adoção de crianças em idades variadas também nos trazem questões sobre o que está em jogo no processo de se tornar mãe ou pai quando não se experimenta, junto ao filho, os tempos iniciais de sua subjetivação. Esses casos ficaram conhecidos pela expressão "adoção tardia", altamente criticável, por sugerir que a adoção teria "passado do tempo", como se não fosse possível separar a entrada na parentalidade do processo de constituição do sujeito. Nesse contexto, tenho proposto falarmos em "adoção de crianças", para marcar uma diferença com relação à "adoção de bebês", sem atribuir, porém, predicados ao fenômeno (Garrafa, 2019, p. 27-29).

Para além da importância de separarmos constituição da posição parental da constituição do sujeito, esses casos também contribuem para pensarmos uma passagem bastante fecunda para nosso estudo: a mudança do chamado "estágio de convivência" – tempo em que pretendentes à adoção e a criança convivem ainda sem formalizar uma relação de pais e filho – para a adoção definitiva – momento de formalização do processo em documentos oficiais. Escutar e acompanhar as vacilações que antecedem o ato de entrada na posição parental coloca em evidência sua importância, bem como todos os efeitos que surtem sobre os pais. Por outro lado, quando essa entrada não acontece, ocorrem as chamadas "devoluções", situações catastróficas para todos os envolvidos; sobretudo para a criança, em função de sua vulnerabilidade estrutural e social, mas também para os pais, que retrocedem diante da parentalidade.

Todos esses exemplos, entre outros que poderiam ser trazidos à tona, ilustram a delimitação entre essas duas incidências psíquicas da parentalidade, que também podem estar presentes de forma combinada, como, aliás, parece ser o mais frequente. Essa separação, no entanto, amplia a leitura do fenômeno e das exigências de trabalho colocadas ao psiquismo, o que abre algumas considerações e questões.

Primeiros tempos

Constituição do sujeito e constituição da posição parental não são processos equivalentes nem contemporâneos, mas coincidem na impossibilidade de serem apreendidos pela cronologia. Os primeiros tempos dessas duas vertentes da parentalidade, função e posição, implicam temporalidades que podem se intercruzar em pontos diferentes em cada caso.

Vimos que a constituição do sujeito envolve o contexto das operações psíquicas que definem sua estruturação a partir das funções parentais. Nesse sentido, entende-se que os tempos do sujeito são delimitados por essas operações, não pela medida de sua duração, o que demarca uma diferença em relação à concepção de desenvolvimento, marcada pela passagem do tempo e por uma sucessão de aquisições por etapas.

Trabalhos psicanalíticos de prevenção em saúde mental na infância têm mostrado, por outro lado, que embora as estruturas psíquicas não sejam decididas nessa etapa (Bernardino, 2004), o tempo mensurável é também uma variável considerada para evitar ou combater riscos à constituição subjetiva. Nesse sentido, temos pressa para que, em cada caso, exista alguém ocupado com o exercício da função materna junto a um bebê, pois sem a intervenção do agente que encarna o Outro, o advento do sujeito encontra-se impossibilitado.

A constituição da posição parental, por sua vez, depende do ato que responderá pela assunção do semblante, ato este que se produz em uma temporalidade própria, o "tempo lógico", tal como Lacan o definiu em 1945 (Lacan, [1945] 1998b). Constituído por três momentos – instante de ver, tempo de compreender e momento de concluir – o tempo lógico não é mensurável, não atende a um prazo externo, mas à lógica que opera a passagem de um desses momentos a outro.

O tempo de compreender inclui a maior parte do trabalho de elaborações que antecedem a tomada de decisão. É o tempo da formulação de hipóteses, das associações que as colocam à prova, tempo da dúvida e das vacilações que demarcam repetidas mudanças de rumo. Mas quanto tempo isso pode levar? Nas palavras de Lacan, "... todo o tempo necessário para compreender. Assim, a objetividade desse tempo vacila com seu limite" (p. 205).

Diante do tempo de compreender, só podemos intervir sem urgência ou prazo. Mas a pressa também encontra aí seu lugar. Interessado nos elementos que viabilizam a tomada de decisão, Lacan extraiu a pressa como motor de sua precipitação, à medida que advém da percepção do sujeito de que sua demora pode lhe conduzir ao erro. Sua demora, portanto, o apressa, para que não fique preso à eternidade de suas dúvidas e hesitações.

Nesse sentido, diferentemente de nossa urgência para assegurar que alguém se ocupe da função materna junto ao bebê, a pressa que conduz ao ato de entrada na posição parental concerne apenas àquele que dá esse passo. As vacilações que antecedem essa decisão precisam ser acolhidas sem que, do lado de quem as escuta, paire a pressão do tempo.

Essa diferenciação, que envolve também o manejo do tempo, contribui para a elaboração das intervenções exigidas em cada caso. Que intervenções podem se desenhar junto a uma mulher que chega com o recém-nascido para dizer que não sabe se deseja ser sua mãe? Como escutar casais que consideram a possibilidade de devolver a criança recém-adotada? Diante de mulheres em intenso sofrimento psíquico com bebês pequenos, quando decidir por uma intervenção que se dirija ao laço mãe-bebê, para colocar em movimento as coordenadas da função materna, e quando trabalhar para que outra pessoa da família se ocupe radicalmente dessa função? O que dizer diante da possibilidade de destituição familiar de uma mãe que se mostra segura de sua posição e de seu laço amoroso com o filho, mas também confortável com seu acolhimento institucional? E quanto às adolescentes acolhidas com seus bebês, como identificar se a entrada na posição e na função materna pode ter efeitos organizadores ou disruptivos?

A essas perguntas, soma-se uma longa série. Quanto às respostas a elas, estamos, a cada vez, nos primeiros tempos.

Referências

BRASIL. Presidência da República. Secretaria-Geral. Subchefia para Assuntos Jurídicos. Lei n.º 13.509, de 22 de novembro de 2017. Disponível em: <https://bit.ly/2YpTUgC>. Acesso em: 16 maio 2020.

BERGÉS, J.; BALBO, G. *Jogo de Posições da mãe e da criança: Ensaio sobre o Transitivismo*. Porto Alegre: CMC Ed., 2002,

BERNARDINO, L. M. F. *As psicoses não decididas da infância: um estudo psicanalítico*. São Paulo: Casa do Psicólogo, 2004.

DUNKER C. Corporeidade em Psicanalise. Corpo, carne, organismo. In: RAMIREZ, H. *et al.* (Orgs.) *A pele como litoral: fenômeno psicossomático e psicanálise*. São Paulo: Annablume, 2011.

DUNKER, C. *Discurso e Semblante*. São Paulo: nVersos, 2017.

DUNKER, C. *Transitivismo e Letramento*. Disponível em: <https://bit.ly/3etuvJr>. Acesso em 18 out. 2019.

FREUD, S. (1914). Introdução ao Narcisismo. In: *Edição Standard Brasileira das Obras Completas de Sigmund Freud*. Rio de Janeiro: Imago, 1986.

GARRAFA, T. Os pais chegam antes. *Revista Cult*, São Paulo, n. 251, novembro de 2019, p. 27-29.

LACAN, Jacques (1949). O estádio do espelho como formador da função do eu. In: *Escritos*. Rio de Janeiro: Jorge Zahar, 1998a.

LACAN, Jacques (1969). Nota sobre a criança. In: *Outros escritos*. Rio de Janeiro: Jorge Zahar, 2003.

LACAN, Jacques (1964). *O Seminário, livro XI: Os quatro conceitos fundamentais da psicanálise*. Rio de Janeiro: Jorge Zahar, 2008.

LACAN, Jacques (1967-1968). *O Seminário, livro XV: O ato psicanalítico*. Não publicado.

LACAN, Jacques (1971). *O Seminário, livro XVIII: De um discurso que não fosse semblante*. Rio de Janeiro: Jorge Zahar, 2009.

LACAN, Jacques (1945). O tempo lógico e a asserção da certeza antecipada. In: *Escritos*. Rio de Janeiro: Jorge Zahar, 1998b.

QUE horas ela Volta? Direção: Anna Muylaert. São Paulo: GloboFilmes, 2015. 1 DVD (112 min.)

QUINET, A. *Édipo ao pé da letra: Fragmentos de tragédia e psicanálise*. Rio de Janeiro: Zahar, 2015.

SAFATLE, V. *A paixão do negativo: Lacan e a dialética*. São Paulo: Editora UNESP, 2006.

SOLER, C. *O que Lacan dizia das mulheres?* Rio de Janeiro: Jorge Zahar, 2005.

WALLON, H. (1934). *As origens do pensamento na criança*. São Paulo: Manole, 1989.

Reprodução de corpos e de sujeitos: a questão perinatal

Vera Iaconelli

O ciclo gravidez-parto-puerpério ou perinatal, embora não garanta a função parental dos cuidadores e, tampouco, a constituição subjetiva do bebê, é condição necessária para ambos. Alguém, quer queira quer não, terá vivido a experiência reprodutiva para que uma nova geração advenha. "É preciso que haja um corpo para gozar, somente um corpo pode gozar", dirá Lacan (citado por Miller, 1998).

Da reprodução de corpos, o parto tem se mostrado área-limite, raramente transposta por psicanalistas. Psicologia e enfermagem se debruçam sobre esse espaço, muitas vezes, usando conceitos psicanalíticos com melhores ou piores resultados, revelando um cenário um pouco nebuloso para os herdeiros de Freud.

O atendimento psicanalítico à/ao gestante e puérpera/o[1] faz parte da clínica, e a oferta de grupos psicoterapêuticos para grávidas, grávidos, mães e pais de bebês tem aumentado. As duas pontas do ciclo gravídico-puerperal, aquela na qual se aguarda a chegada do bebê e a

[1] Sujeitos nascidos com útero viverão uma experiência reprodutiva distinta dos sujeitos nascidos sem útero, independentemente do sexo ou gênero atribuído socialmente a eles. Sendo assim, é fundamental que sejam incluídos nessa discussão sujeitos de outros gêneros (homens trans, não binários e outros) que passaram pela experiência da gestação, parto e puerpério, embora a problemática vivida por essa população, no que ela tem de específica, não seja o alvo central do presente capítulo.

outra na qual se recolhe o impacto da primeira parecem obliterar o acontecimento em si. Preparar para um evento cujos fatores se desconhece e receber esses sujeitos depois do ocorrido sem levar em conta as condições às quais estão submetidos têm sido a tônica. A migração do parto – evento fisiológico normal – para o âmbito cirúrgico é dos fatores que têm justificado seu isolamento. Ainda assim, não esclarece inteiramente a falta de interesse na discussão do tema.

A situação do parto estaria fora do nosso espaço de inserção?

A relação da psicanálise com o hospital geral – para além dos manicômios – tem uma longa história de trocas ricas e disputas acirradas, que fizeram avançar a teoria psicanalítica, as instituições de saúde e os demais saberes ali inseridos.

Mathelin (1999), por exemplo, nos conta como o desconcerto da equipe médica diante de uma mãe que não queria levar para casa seu bebê de alta – internado desde o nascimento – fez com que se criasse o serviço de psicanálise na UTI neonatal de um hospital francês:

> Fiquem com ele, dissera (a mãe). "Ela é louca", pensaram, e o primeiro reflexo que tiveram foi telefonar para o único lugar onde podiam encontrar um psiquiatra: o setor de pedopsiquiatria, já que não havia naquele hospital psiquiatria adulta. Mas, em vez de lhes enviar um psiquiatra, um médico-chefe de pedopsiquiatria pediu a um psicanalista para atender à "urgência". Foi assim que começou, já se vão quinze anos, meu trabalho em neonatologia (Mathelin, 1999, p. 21).

Mas se estamos desde os anos 1980 trabalhando com equipes e bebês internados em UTI neonatal, o mesmo não se pode dizer da nossa participação na sala de parto.

Falar em psicanálise no parto implica refletir teoricamente sobre o que está em jogo nessa situação, como essa cena chega à clínica na fala de puérperas/os, mas também como o psicanalista pode ser convocado a intervir durante o evento em si. Assim como, por vezes, acompanhando situações de óbito no hospital, somos chamados a escutar os familiares e a própria equipe, também o parto e o nascimento podem ser espaços de intervenção psicanalítica nos quais se promove a escuta de pais, bebês e equipe.

No afã de sustentar que a sexualidade da qual trata Freud não pode ser confundida com o coito, a gestação ou o parto, por vezes, se negligencia que a reprodução dos corpos humanos nunca prescinde da sexualidade (com ou sem ato sexual). Ainda que sejamos mamíferos, o ciclo reprodutivo humano está atravessado pelo discurso social, pela confrontação com o real, pelo impossível de nomear, e não pode ser reduzido aos automatismos fisiológicos que também o regem. Como nos aponta Soler (2005, p. 92): "Decerto não se pode negar que *a mãe,* como genitora e parturiente, é um ser corporal, mas tampouco é possível negar que a reprodução dos corpos é inteiramente ordenada ou até programada pelos discursos".

Tema complexo, que faz fronteira com diversos saberes, mostra-se premente na medida em que expõe de onde emerge a nova geração, revelando violências, desigualdades e exclusões – mas também possibilidades de transformações – que são reproduzidas.

Se os anos 1980/1990 foram profícuos na produção de textos sobre as competências dos bebês e a suma importância de oferecer-lhes cuidado psíquico – através da criação de organismos internacionais e vasta literatura alertando sobre o que é possível prevenir e/ou remediar em tempo hábil na primeiríssima infância –, o mesmo não se pode dizer das condições em que as pessoas têm enfrentado a parturição. Condições materiais, mas também culturais e discursivas, que incrementam dificuldades e criam impedimentos para que pais e mães venham a cuidar de seus bebês.

A naturalização do fato de que a parturição se deslocou para o espaço hospitalar, com todas as questões ideológicas aí implicadas, fez crer que o parto é evento médico/cirúrgico, sem qualquer relação com a subjetividade. Não há novidade nessa lógica, que sabemos permear a relação do sujeito contemporâneo com sua própria existência. Lógica que Foucault (1988) nomeia de "biopolítica" e que Preciado (2018) relê como "política farmacopornográfica". O caso do parto – ali mesmo onde nasce um corpo a ser sexualizado e erotizado – é exemplar da confusão entre o sexual, o capital, a biomedicalização e a tentativa de controlar angústias que se apresentam sob o manto de um feminino – confundido com o útero – ora sagrado, ora profano, ora máquina imperfeita, expressões diversas de uma mesma ininteligibilidade.

No começo era o parto

A primeira participação de uma mulher nos encontros de quarta-feira de Freud foi em 1911, ocasião na qual Margarete Hilferding (1991) trouxe à baila o tema da parturição e do amor materno, nos obrigando a reconhecer que, se a pauta é tão antiga quanto a psicanálise, por outro lado, não arregimentou tantos adeptos como era de se esperar. Justiça seja feita, então, a Marie Langer, Myriam Szejer, Raquel Soifer e outras personalidades interessadas no tema. Poderíamos acrescentar a essa lista inicial a contribuição de Otto Rank (2016) à questão do nascimento, mas devemos lembrar que o parto diz respeito à parturiente e que o nascimento diz respeito ao bebê, apontando campos bem distintos de vivências.

Cabe ressaltar ainda que falar em perinatalidade restringindo-se às fantasias inconscientes e aos conflitos edípicos de gestantes, parturientes e puérperas/os pode servir para imputar-lhes diagnósticos de patologias intrinsecamente ligados à ordem social. Entendemos aqui patologia social nos termos apresentados por Safatle (2018, p. 9):

> Um sofrimento patológico é um sofrimento socialmente compreendido como excessivo e, por isso, objeto de tratamento por modalidades de intervenção médica que visam permitir a adequação da vida a valores socialmente estabelecidos com forte carga disciplinar. [...] Nesse sentido, sofrimentos patológicos são aqueles sujeitos a uma forma bem peculiar de gestão, pois uma patologia é uma categoria que traz em seu bojo, ao mesmo tempo e de maneira indissociável, modalidades de intervenção clínica e horizontes de valores.

A parturição é um processo assistido e, portanto, implica uma situação na qual vários agentes sociais estão envolvidos, com diferentes graus de protagonismo e importância. A forma como cada cultura entende e viabiliza o entorno desse evento é reveladora de seus recursos de simbolização do enigma da origem, assim como os rituais ligados à morte também nos trazem indícios da elaboração da angústia diante da finitude. Nesse sentido, apontamos para o fato de que a violência, o descaso e a vigilância/controle a que estão submetidas gestantes, parturientes, puérperas/os e suas famílias em nossa cultura acabam por exemplificar nossa forma própria de lidar com esses temas. A oferta de especialistas para cada passo da constituição da parentalidade se mostra intensificada no ciclo gravídico-puerperal, numa busca por controles e garantias retroalimentadas pela lógica de consumo e venda de serviços. Inseminação artificial – que tem ocorrido apenas seis meses depois de tentativas de engravidar naturalmente –, gravidez controlada obsessivamente, parto cirúrgico eletivo e os cuidados com o bebê transmitidos pela enfermagem dão o tom do tipo de experiência de desautorização dos pais que está em jogo.

A crescente demanda por tratamentos, tutoriais e informações que a parentalidade parece imantar em nossa época é causa e efeito de uma desautorização que levará pais e mães a buscarem mais tratamentos e assistência especializada.

O diagnóstico de depressão pós-parto, por exemplo, passa a ser o guarda-chuva sob o qual se esconde o mal-estar do ciclo gravídico-puerperal e que encontra na resposta automática da medicalização o silenciamento das questões pessoais, sociais, culturais e discursivas que o promove.

O lugar das mulheres, de gestantes, de parturientes e puérperas/os na cultura; a relação entre gênero e parentalidade, a divisão sexual do trabalho; a relação erógena com o corpo negada e explorada pela biopolítica; o real na cena de parto; as contingências de constituição da parentalidade (que são da ordem do ato singular, e não da biologia) versus as necessidades constitutivas do bebê: muitos são os temas com os quais precisamos lidar para pensar esse trabalho. Segundo Lacan (1998b, p. 202-203): "A própria palavra parturição se origina numa palavra que, em sua raiz, não quer dizer outra coisa senão procurar um filho para o marido, operação jurídica, e, digamos logo, social".

Embora discordemos da redução que supõe o desejo da mulher como unicamente associada ao desejo suposto do homem, vale ressaltar que a reprodução de corpos só se presta a reprodução de sujeitos quando referida ao laço social.

Qual o gênero da reprodução?

Como dissemos acima, na divisão da tarefa reprodutiva, sujeitos nascidos com útero viverão uma experiência distinta dos sujeitos nascidos sem. A anedota de que um filho adulto pode se apresentar a um pai que desconhecia sua existência não tem como se aplicar a quem o gestou e pariu.

Essas experiências cobram faturas e propiciam situações diferentes. É do corpo de parturientes que saem bebês e não são poucas as repercussões sociais e psíquicas dessa diferença. Nem são poucos os efeitos imaginários que dela decorrem. Algumas questões sobre o tema merecem ser colocadas.

Essas diferenças afetariam a construção da parentalidade e suas funções? Se sim, em que sentido? O que a forma como nossa cultura lida com o ciclo perinatal (gravidez, parto e pós-parto) nos revela? Como a psicanálise se propõe a abordar esse tema?

Como aprendemos ao escutar sujeitos nascidos com útero, que fizeram transição de gênero sem retirada desse órgão e que passaram pelo ciclo perinatal, a experiência corporal só se torna apropriada pelo sujeito a partir das relações imaginárias, simbólicas e do discurso social nas quais se constitui. Isso implica dizer que a perinatalidade é atravessada pelos significantes próprios de cada época, ainda que parta de um evento fisiologicamente previsível. No exemplo acima, vemos como nem o sexo atribuído no nascimento nem a experiência gestacional têm sido prerrogativas para que o sujeito assuma um gênero (feminino/masculino/não binário/outros) ou nomeação parental (pai/mãe/"mapa"/outros).

Há que se ficar atento aos significantes mãe, mulher, homem, pai, genitora, genitor, pois a tentativa de naturalizá-los, imputando-lhes uma consistência que não têm, insiste. É nesse sentido que se torna importante discriminar as vicissitudes da perinatalidade de forma a separar as interpretações naturalizantes.

Gestantes compartilham seu corpo com o embrião/feto, de tal forma que bebês nascem ávidos pelos cheiros, sons, gostos e toques a que estiveram expostos durante a gestação. Embora não sejam capazes de reconhecer a pessoa de quem nasceram como um outro, reagirão de forma diferente à sua presença física após o nascimento, assim como poderão reconhecer alguns traços de outras pessoas que estiveram muito próximas durante a gestação. Salvo em situações de adoecimento ou limitações físicas, os bebês têm grandes condições de seguir seu *script* da espécie de busca por contato corporal e de interações afetivas. Mas, diferentemente de outros mamíferos, se o bebê humano for tratado apenas no nível da necessidade – aquecido, alimentado, limpo –, não poderá se constituir como sujeito, terá prejuízos irreversíveis no seu desenvolvimento, podendo até chegar a óbito. Mas, com sorte, o bebê encontrará em quem se fiar, um outro desejante e dedicado que lhe servirá de suporte para alienar-se, condição da subjetivação. Sabemos que nem todo recém-nascido se dispõe ao jogo dialético de se oferecer ao desejo dos pais. Aqui estamos na esfera do *nascimento* de um bebê, cujos estudos têm demonstrado terem competências insuspeitas até então.

Do lado da *parturição*, no entanto, o processo é distinto e implica uma rede de acontecimentos preocupantemente circunstanciais. Preocupante porque entre o desamparo absoluto do bebê e o desejo contingencial dos sujeitos disponíveis para acolhê-lo não há vasos comunicantes. Os objetos de desejo humano, nos ensina Freud, não são fixos, e o bebê ficará à deriva até que alguém se disponha a recebê-lo como parte da comunidade humana. A negação desse fato estrutural está na base da ideologia do amor instintivo/instantâneo de mães e pais pelos filhos. Nove meses "conversando com a barriga" não refrescam em nada o que será necessário acontecer no encontro com o recém-nascido. A angústia diante desse fato – que fere nosso narcisismo por nos identificamos com o bebê – encontra na ideia de instinto materno um efeito apaziguador. Nessa lógica, apenas pessoas desnaturadas – sem competências naturais – não amariam seu bebês desde o útero.

Em nossa época, na qual as mulheres[2] concentraram de forma inédita o cuidado individual do bebê – e com a família em geral –, imperam a idealização/execração da figura materna, alvo de vigilância

---

[2] Aqui nos detemos nos preconceitos imputados a mulheres cisgênero, naturalizados pelo discurso maternalista. Quando se trata de gestações e parto vividos por sujeitos de outros gêneros, caberiam outros questionamentos igualmente relevantes que incluam a questão do (não) reconhecimento social e outras formas de desautorizacão.

e violências. Sendo a principal, quando não a única, responsável pelo cuidado da prole, condensa em si o temerário lugar de fonte de todo cuidado, todo reconhecimento e oferta desejante.

Usa-se o termo "maternalismo" para nomear o discurso no qual o cuidado da mulher com os filhos é naturalizado, sendo o ideal da maternidade o suporte para o culto à família patriarcal como estrutura última da organização social possível. A política dos cuidados é imposta à mulher, negando que sua participação no espaço público torna-se comprometida diante da divisão desigual de tarefas no âmbito privado.

O pânico que as mulheres relatam no divã, pela iminência de se afastarem dos filhos pequenos para voltarem ao trabalho, ou sua rotina pessoal, só é comparável à fobia de serem tragadas pela rotina de cuidados dedicados a eles. Duas versões da mesma falta de mediação de um terceiro, que a cultura contemporânea incrementa. Segundo Soler (2005, p. 88), referindo-se à mãe como "o parceiro preponderante ou exclusivo da criança": "Obviamente, as configurações concretas são múltiplas e variadas, mas a mobilidade dos laços sociais e amorosos dá ao cara a cara da criança com a mãe um peso novo na história, o qual não pode deixar de ter consequências subjetivas".

Uma das consequências é a entrada do especialista como terceiro da relação, colocando os saberes oficiais – obstetrícia, psicanálise, pediatria, pedagogia, terapeutas holísticos e curiosos em geral – no lugar de Outro de pais e mães, onde antes estavam próximos.

Para além de interpretações psicanalíticas selvagens que poderiam se restringir às fantasias orais da puérpera diante das demandas imperiosas de um recém-nascido, temos que levar em conta expressões de um imaginário social no qual "mãe é tudo" ou "um bom pai é quase uma mãe" e outras formas ideológicas de imputar à mulher a prática exclusiva dos cuidados familiares. A busca por ajuda profissional – para as que têm recursos para isso –, ou a negligência decorrente da falta de apoio são algumas das respostas a essa demanda imperiosa do social. Outra resposta que encontramos na clínica são quadros nos quais o bebê é tomado como objeto fóbico. A percepção de que ela deverá escolher entre si mesma e o bebê responde à fantasia da mulher diante da separação do objeto narcísico que o bebê encarna, mas também ao fato de que a cultura reduz a mulher à mãe. Tal assunto já foi denunciado por Lacan (1998a), quando insinuou que Medeia é que era mulher de verdade, pois sacrificou a maternidade em nome do seu desejo de mulher. "Mais mulher do que mãe" é o que parece que os sintomas da clínica psicanalítica vêm reivindicar de forma conflituosa e culposa.

Usemos um exemplo para discriminar os dois temas acima. Em vídeo produzido por Christine Davoudian,[3] um grupo de mulheres da África subsaariana e uma jovem romena que migraram para a França comparam as condições de chegada de um bebê em sua terra natal com as condições que encontraram na Europa ocidental. Todas relatam que estavam habituadas a receber cuidados onipresentes de outras mulheres depois do nascimento de seus filhos. Algumas chegam a se queixar de não ter podido ficar com o bebê, tamanha interferência das avós, que só lhes traziam as crianças para mamar. Essa seria uma prática de cuidados não solitária, baseada na divisão radical de gênero, pois a essas mulheres cabem papéis extremamente rígidos, sendo a reprodução o eixo central. Ao chegarem à França, se depararam com uma situação diametralmente oposta. As mulheres ocidentais, quando escolhem ser mães, não têm apoio na tarefa, muito frequentemente nem mesmo do pai, e pouquíssimo do Estado. Se podem escolher algo além da maternidade – não sem sofrerem ainda algum preconceito –, quando decidem ser mães, não têm suporte para fazê-lo.

Vivemos a paradoxal situação na qual a independência socioeconômica da mulher, decorrente das lutas feministas e das novas condições do mercado, desemboca em uma maternidade solitária e desassistida. O cuidado com as novas gerações é hoje, de forma inédita, incumbência exclusiva da mãe e, quando não, de mulheres que a substituem divididas entre a própria sobrevivência e as necessidades imperiosas do bebê. O Estado, por sua vez, produz e reproduz a precarização da maternidade e, consequentemente, da própria infância, ao não a assumir a nova geração como interesse e responsabilidade coletivos.

---

[3] Disponível em: <https://bit.ly/39y2tLn>. Acesso em: 12 jul. 2020.

Pensar a perinatalidade e a parentalidade sem levar essas questões em conta é endossar o discurso contemporâneo da precarização das relações cuidador/bebê.

A puérpera é a última a saber

Tendo em mente que, diferentemente dos demais mamíferos, o evento reprodutivo na espécie humana não garante por si só que se criem os laços afetivos e significantes entre a genitora e seu bebê, é necessário dar, ainda assim, o devido lugar ao apelo que a experiência pode fazer, e costuma fazer, aos sujeitos.

Freud ([1914] 1974) nos alertou para o aspecto eminentemente narcísico da relação de pais e mães com a prole, mas como nos lembra Soler, há uma diferença irredutível entre eles.

> Ocorreu a Lacan designar as mulheres pelo termo "poedeiras". O toque um pouco infamante dessa redução etológica deixa claro que a mãe, como genitora, não é um semblante, ao passo que a disjunção entre a função reprodutora, real, e a função de semblante, simbólica, encontra-se exatamente invertida do lado do pai, o qual, como Nome, é um semblante, mas não um genitor (Soler, 2005, p. 87).

Tida no senso comum como vantagem sobre o pai ou sobre a mãe adotiva, a experiência da/do parturiente, embora seja única, não é, garantidamente, facilitadora das funções parentais. Winnicott (2000) será enfático na defesa de que haveria um estado psiquicamente alterado da puérpera diante de uma identificação maciça com seu bebê. De fato, na clínica, os efeitos da gravidez e do parto são observáveis em inúmeros casos – mas não todos –, e a descrição de um funcionamento esquizoparanoide é bem acurada. No entanto, supor que haveria alguma vantagem da gestante/puérpera[4] vivendo o que ele chamou de

[4] Winnicott se refere especificamente a mulheres cisgênero, que formavam a totalidade de sua clínica de gestantes e puérperas.

"preocupação materna primária" sobre outros cuidadores potenciais é uma interpretação apressada e contraproducente.[5]

A função reprodutora, enquanto real, exige da/do parturiente uma "volta a mais" para a simbolização da experiência. É fato que a gestação faz um apelo erótico que permite que grande parte das/dos gestantes se identifique com o bebê e com a parentalidade antes de sua chegada; no entanto, duas questões devem ser contrapostas aí.

A primeira diz respeito a reconhecer que isso nem sempre acontece, pois temos abortos eletivos e entregas em adoção fora da patologia; ou seja, não há garantias de que a gestação ou o parto sejam suficientes para criar o deslocamento afetivo em direção ao bebê. A segunda é a observação de que muitas/os parturientes, que assumem a função parental junto a seu bebê, vivem a experiência física da reprodução como uma dificuldade a mais na relação com o filho, e não como vantagem. Insegurança, estranhamento, indiferenciação, angústia, traumas e sintomas revelam um trabalho que, em certo aspecto, não encontra paralelos em pais e mães que não passaram pela experiência perinatal: da simbolização do real da reprodução de corpos para a assunção da posição parental. A confusão está feita quando a imaginarização desse evento toma a frente, fazendo supor que a "bio-mãe", parafraseando Preciado (2018), ou a pessoa nascida com útero, seria mais apta a assumir as funções parentais do que os demais candidatos, cuja parentalidade não esteja baseada em estereótipos biologizantes.

Gestação, parto e aleitamento, ou seja, os atravessamentos corporais da reprodução de corpos, funcionam como oportunidades, desafios e riscos para a construção da parentalidade. Em si mesmo são opacos, incapazes

---

[5] "Sugiro, como vocês sabem, e suponho que todos concordem, que *comumente* a mãe entre numa fase, uma fase da qual ela *comumente* se recupera nas semanas e meses que se seguem ao nascimento do bebê, e na qual, em grande parte, ela é o bebê, e o bebê é ela. E não há nada de místico nisso. Afinal de contas, ela também já foi um bebê e traz com ela as lembranças de tê-lo sido; tem, igualmente, recordações de que alguém cuidou dela, e estas lembranças tanto podem ajudá-la quanto atrapalhá-la em sua própria experiência como mãe" (WINNICOTT, 1994, p. 4, grifo no original). Se a questão em jogo é ter sido bebê, não há por que justificar que gestantes e puérperas teriam vantagens na construção da "preocupação materna primária".

de determinar o desfecho do laço entre o desejo da/do puérpera/o e as premências do bebê. No discurso social, no entanto, é notória a interpretação contrária, na qual se supõe que gestantes e puérperas – no caso cisgênero[6] – estariam naturalmente ligadas à prole e que mães/pais adotivos teriam elos fracos com seus filhos. E é justamente esse discurso naturalizante da relação entre perinatalidade e parentalidade que acaba por promover aquilo que se afirma estar em outro lugar.[7]

É necessário dar o devido peso ao reconhecimento social do lugar de mãe/pai – reconhecimento erroneamente calcado no fato biológico – e sua potência de validação do sujeito nesse lugar. A crença de que o corpo garantiria a parentalidade – e a um tipo de parentalidade ligada ao gênero[8] – tem efeitos em sua experiência e se baseia em crer que o corpo garante algo. O corpo faz apelo à elaboração psíquica em situações de grande transformação, como, por exemplo, na adolescência, na gestação, no parto, no adoecimento, no envelhecimento ou na proximidade da morte, sem que, no entanto, possamos antever como cada sujeito lidará com esses processamentos.

A forma como cada cultura nomeia esses acontecimentos tem efeitos a serem considerados também.

É na medida em que as adoções, por exemplo, deixam de ser motivo de vergonha e segredo e passam a ser motivo de orgulho e

---

[6] São chamados cisgênero sujeitos cuja identidade de gênero é idêntica àquela que lhes foi atribuída socialmente ao nascer. Por exemplo, pessoas nascidas com útero, ovários e vagina – atributos que se convencionou denominar como sendo do sexo feminino – e que se consideram a si mesma como pertencendo ao gênero feminino, em consonância com essa atribuição.

[7] A problemática vivida por sujeitos com útero não-cis merece um espaço de reflexão próprio. Embora questões como transfobia e reconhecimento social não possam ser ignoradas, permanece válida para gestantes e parturientes de qualquer gênero a questão aqui defendida, a saber, de que a experiência perinatal não se apresenta como vantagem na construção da parentalidade. Trata-se, no entanto, de um acontecimento que exige uma elaboração psíquica própria.

[8] Cujos desdobramentos imaginários são flagrantes no uso dos termos "função materna" e "função paterna", fazendo supor que as diferentes funções seriam intrinsecamente associáveis à mãe/pai, consequentemente, mulher/homem e, por fim, gestante/inseminador.

até exibicionismo, que poderemos recolher outros efeitos e sintomas relativos a esse gesto.

A constatação de que a produção de outro corpo não traz automaticamente o laço esperado talvez seja o grande enigma ao qual parturientes e puérperas/os têm acesso, que os demais não têm como testemunhar. Se podemos saber de algo ao parir é do quanto nossa existência enquanto sujeitos é contingencial e não garantida pela existência de um corpo.

Badinter (2011) é uma das autoras a denunciar o retrocesso que a maternidade calcada no aspecto "mamífero" das mulheres tem promovido nas conquistas femininas. A busca por garantias no corpo biológico se baseia na recusa de que esse corpo que goza só é acessível pela linguagem e que a linguagem o antecede. Segundo essa lógica, que convém aos demais, mães e mulheres cisgênero estariam irremediavelmente condenadas a serem a fonte insubstituível dos cuidados da prole.

Na sala de parto

Antes do corpo a corpo com o bebê, que o humaniza e pode ser realizado por outros – não quaisquer –, teremos sempre o/a parturiente. Ela/e poderá entregá-lo em adoção, mas, ainda sim, não terá como escapar dessa passagem até que o bebê se desvencilhe de seu corpo. Esse encontro com a origem dos corpos, do seu e do recém-nascido, aproxima a/o parturiente de um ponto de inflexão entre vida e morte, antes e depois, corpo e subjetividade. Explosão de erotismo e de angústia, que não à toa recebe de nossa cultura uma resposta asséptica e controladora, o parto oferece à/ao parturiente a experiência da origem do mundo, ou seja, do corpo mamífero que antecede ao dizer.

Todos os riscos de vida que ainda envolvem o parto – e costumam ser negados em nossa cultura pela crença na biotecnologia (inseminação artificial, controle pré-natal obsessivo, parto cirúrgico, berçário e seus respectivos especialistas) – se atualizam na situação. Não entraremos aqui na discussão sobre as disputas entre a humanização e a medicalização do parto, no entanto, cabe ressaltar que a forma como se lida com a questão é paradigmática de nossa dificuldade de sustentar a angústia e o erotismo ligados à situação.

Além disso, no trabalho com parturientes, testemunhamos violências profundamente atravessadas por questões raciais, sociais e de gênero que não podem ser ignoradas.

A sala de parto – hospitalar, por força de circunstâncias históricas – se revela campo de forças que afeta e é afetado pela separação de corpos da/do parturiente/bebê, das experiências de parto/nascimento, da contingência/necessidade, da autonomia/dependência absoluta. Mas para além dos corpos que partem, teremos o efeito desse acontecimento naqueles que o assistem, tanto no sentido de ajudarem, quanto no de testemunharem a "origem do mundo", como nos lembra o quadro de Coubert, no qual a vulva em primeiro plano responde pelo título.

Cada cultura lida com o enigma da origem com sua mítica própria, e a nossa está preponderantemente fincada na biotecnologia, ainda que não abra mão da religião e da moral. Misto de controle tecnológico, fé na providência e desconforto com a obscenidade do sexo, o parto confronta a todos os presentes até o limite. A entrada do psicanalista promove o estranhamento necessário para que a situação hospitalar/religiosa/militar/moralizante não cumpra sua função de recalcamento das angústias emergentes. Como testemunha, mas também como negatividade, por ser o único elemento cuja função principal é sustentar que a reprodução de sujeitos só se dá por meio da subjetividade de parturientes, familiares, equipe e bebês, e não apesar dela.

Ciente dos elementos em jogo, tanto na sua presença dentro do hospital quanto da especificidade dos procedimentos e fenômenos ligados ao parto, o psicanalista circula oferecendo sua escuta, que tende a criar demanda.

No trabalho que se oferta na sala de parto, o psicanalista é confrontado com a experiência da dor – e as formas culturalmente aceitas de se lidar com ela –, com as interações entre equipe, parturiente, acompanhantes e bebê. Inúmeras são as cenas de violência presenciadas – nomeadas como tais ou não – e inúmeras são as oportunidades de propiciar um olhar para além do evento biológico.

Situações nas quais o acompanhante de parto é induzido a assistir à expulsão do bebê, por exemplo, sem se questionar sobre seu desejo de estar nessa posição de escancaramento da sexualidade da/o parturiente, podem revelar a dificuldade da equipe de lidar com o componente sexual do parto. Nesse ponto, a possibilidade de ajudar a explicitar a contrariedade não nomeada, escutando o desconforto do sujeito, tem revelado uma clínica potente, embora em situação ainda pouco explorada. O olhar que leva em consideração o medo, a expectativa, a angústia ou o desamparo da/do parturiente tem permitido que a situação de parto seja menos contingencialmente traumática, embora não elimine o caráter traumático inerente ao encontro com o real de nossa origem.

Clínica potente, que pensa a intervenção psicanalítica fora dos muros protegidos do enquadre convencional, obriga o psicanalista a se deparar com a escuta do inconsciente na situação em que o real se apresenta, a partir da qual cada sujeito, na sua singularidade, responde com a outra cena.

A interpretação de que o ciclo perinatal traria garantias para a construção da parentalidade não pode ser reproduzida pelo psicanalista advertido das contingência dos laços e do real que não cessa de não se inscrever. Corpos de mulheres pobres, negras, periféricas ou trans não são tratados da mesma forma que corpos de mulheres, ricas e brancas e cis, embora em algum nível ambos estejam submetidos à dupla cena traumática: do encontro com o real e do encontro com a violência culturalmente naturalizada.

Em plano diverso – não menos importante, mas que não se reduz à intervenção na sala de parto e, tampouco, abrange tudo o que nela se passa –, a psicanálise se debruça sobre o espectro da perinatalidade para pensar a origem, a finitude, a emergência do real, a constituição do sujeito, as condições sociais e as condições singulares da reprodução de corpos e de sujeitos em nossa época. Campo de convergência de temas que nos levaram a buscar novas interlocuções com as teorias de gênero, com o movimento feminista, com os estudos da racialidade, com as clínicas públicas e com a própria transmissão da psicanálise.

A denúncia das diferentes formas de violência ligadas ao parto e ao nascimento, que afetam ou mesmo impedem a significação do trauma estrutural de nossa origem, faz parte das questões da psicanálise hoje como há cem anos.

Referências

BADINTER, E. *O conflito: a mulher e a mãe.* Rio de Janeiro: Record, 2011.

BADINTER, E. *Um amor conquistado: o mito do amor materno.* Rio de Janeiro: Nova Fronteira, 1985.

FOUCAULT, M. *História da sexualidade I: a vontade de saber.* 17. ed. Rio de Janeiro: Graal, 1988.

FREUD, S. (1914). Sobre o narcisismo: uma introdução In: *Edição Standard Brasileira das Obras Psicológicas Completas de Sigmund Freud.* Rio de Janeiro: Imago, 1974. v. XIV.

HILFERDING, M.; PINHEIRO, T.; VIANNA, H. B. *As bases do amor materno.* São Paulo: Escuta, 1991.

LACAN, J. A juventude de Gide. In: *Escritos.* Rio de Janeiro: Zahar, 1998a.

LACAN, J. *O seminário, livro 11: os quatro conceitos fundamentais da psicanálise.* Rio de Janeiro: Jorge Zahar, 1998b.

MATHELIN, C. *O sorriso da Gioconda: clínica psicanalítica com bebês prematuros.* Rio de Janeiro: Companhia de Freud, 1999.

MILLER, J.-A. O osso de uma análise. In: *Revista da Escola Brasileira de Psicanálise – Bahia*, número especial, Salvador, 1998.

PRECIADO, P. B. *Testo Junkie: sexo, drogas e biopolítica na era farmacopornográfica.* São Paulo: n-1 Edições, 2018.

RANK, O. *O trauma do nascimento e seu significado para a psicanálise.* São Paulo: Cienbook, 2016.

SAFATLE, V. Em direção a um novo modelo de crítica: as possibilidades de recuperação contemporânea do conceito de psicopatologia social. In: DUNKER, C; SILVA JR, N; SAFATLE, V. *Patologias do social: Arqueologias do sofrimento psíquico.* Belo Horizonte: Autêntica, 2018.

SOLER, C. *O que Lacan dizia das mulheres.* Rio de Janeiro: Jorge Zahar, 2005.

WINNICOTT, D. W. A preocupação materna primária. In: WINNICOTT, D. W. *Da pediatria à psicanálise: obras escolhidas.* Rio de Janeiro: Imago, 2000. p. 399-405.

WINNICOTT, D. W. *Os bebês e suas mães.* São Paulo: Martins Fontes, 1994.

PARENTALIDADE E MAL-ESTAR CONTEMPORÂNEO

Parentalidade para todos, não sem a família de cada um

Daniela Teperman

"Parentalidade" é um neologismo que vem ganhando consistência nos últimos anos. Já não tão novo, tem sido empregado com tal familiaridade pelos profissionais que atuam na área da infância e da família que pareceria que sua significação é desde sempre evidente.

A nova nomeação é indissociável das mudanças no campo da família, no que diz respeito tanto aos costumes quanto aos avanços da ciência no âmbito da procriação medicamente assistida. É também característica do laço social prevalente nesta época, ou, outro modo de dizer, do mal-estar na atualidade e da maneira pela qual este se traduz no âmbito da família; e é correlata à crescente intervenção de especialistas na família e na criação das crianças.

Ao se insinuar com uma significação aparentemente evidente e bem-intencionada, o termo em questão poderia inibir uma investigação mais aprofundada sobre suas origens e suas implicações no campo da família e da criação das crianças.[1] Desde logo, é preciso pontuar que nenhuma nomeação é neutra e, menos ainda, separável da época em que foi forjada.

Diante da pergunta acerca do que seria o contemporâneo, Agamben (2012) recorre inicialmente à afirmação contundente de Roland Barthes:

[1] Examinei detidamente as origens do termo "parentalidade" e os diferentes discursos por meio dos quais ele comparece na atualidade em minha pesquisa de doutorado. Ver: TEPERMAN, 2014.

o contemporâneo é o intempestivo! Para ser contemporâneo, continua Agamben, é preciso tomar distância de nosso próprio tempo:

> Pertence verdadeiramente ao seu tempo, é realmente contemporâneo, aquele que não coincide perfeitamente com ele nem se adapta às suas pretensões, e é por isso, neste sentido, não atual; mas, justamente por isso, justamente por meio dessa diferença e desse anacronismo, ele é mais capaz que os demais de perceber e entender seu tempo (s.p., tradução nossa).

O contemporâneo, seguindo com o autor, mantém o olhar fixo no seu tempo, para perceber não apenas a luz, mas também a escuridão. Para tanto, precisa dividir a contemporaneidade em vários tempos, introduzir no tempo uma desomogeneidade. Essa falta de coincidência, esse intervalo, assinala o autor, não coincidiriam com uma atitude nostálgica.

Penso que assumir tal posição é fundamental diante do avanço de práticas dogmáticas, mercantis e obscuras na nossa época e, particularmente, no Brasil. Entendo que é esse o movimento da psicanálise de orientação lacaniana na sua leitura sobre o laço social e sobre as relações entre subjetividade e época. Vale ainda acrescentar que os pacientes da psicanálise são grandes contemporâneos: jamais coincidem muito bem com a época, pelo menos não sem crises, angustias e incertezas (Murillo, 2018).

O discurso lacaniano não se caracteriza por ser intemporal ou a-histórico, mas por ser intempestivo (Chemama, 2002)! Lacan estava advertido de que o psicanalista não deve tomar o sujeito como separável da subjetividade de sua época; tendo investido na direção de isolar o que é da ordem da estrutura, manteve-se atento para inscrever ali a história do sujeito (que é da ordem da contingência), submetendo a primeira à prova com a vivacidade da clínica.

No que tange ao laço social, a psicanálise ocupa um lugar de composição – ao se constituir em um discurso integrante desta época, contribui para a sua produção –, mas preserva uma distância, o que lhe permite ler o que se passa no laço social desde uma posição de exterioridade; introduzindo furos na consistência que outros discursos pretendem oferecer.

E, então, que questões se colocam desde a psicanálise diante do cenário que se arma em torno da família e da criação das crianças sob a nomeação de "parentalidade"?

Seguindo a recomendação de Agamben, localizo três dimensões (ainda que elas estejam intrinsecamente relacionadas) por meio das quais o termo "parentalidade" comparece na atualidade: as novas configurações familiares, o mal-estar na atualidade e o modo como este se traduz no campo da família e da criação de crianças, e a proliferação dos especialistas da família.

Bem, não se trata, para a psicanálise, de assumir uma posição de resistência ou oposição ao neologismo "parentalidade" (nada de nostalgia!), ou mesmo de discutir sobre sua a procedência (na ética psicanalítica, orientada pelo bem-dizer, não se pretende dizer onde está o bem). Mais que isso, é importante que se possa reconhecer a invenção de um novo termo como um modo de dar conta das mudanças nas práticas sociais. Parentalidade segue essa tendência ao nomear e legitimar – via discurso jurídico – laços familiares antes inexistentes e não regidos por vínculos biológicos, como os que se evidenciam nas novas configurações familiares. Observemos que a psicanálise contribui para essa nomeação ao assinalar a não correspondência entre as funções parentais e os laços sanguíneos.

Contudo, como examinaremos mais adiante, "parental" refere-se a pais, mas não discrimina pai e mãe, função materna e função paterna, de forma que "parentalidade" poderia apontar também para uma indiferenciação no interior da família. Veremos também como idealização, indiferenciação e aposta na ausência de conflitos são aspectos que se destacam quando se pretende que a família se organize como uma parentalidade.

Ao se propor como *para todos*, a parentalidade tende a converter-se em um dispositivo de normalização da família. Lembremos que o modelo de família nuclear (leia-se pai, mãe e filhos morando na mesma casa) nunca foi sinônimo de normalidade e que não existe uma forma de organização familiar ideal que possa garantir as condições necessárias à constituição do sujeito. Na família não há garantias, independentemente das configurações pelas quais ela se apresente. Nesse sentido, cabe discriminar a psicanálise das disciplinas que preconizam que determinado modelo de família seria mais adequado à criação das crianças ou que se baseiam em uma idealização ou em uma naturalização da família patriarcal.

O mal-estar na família e a criação das crianças

O mal-estar na família condensa e particulariza o modo pelo qual este vem sendo tratado na atualidade: um mal-estar que, ao denotar incompetência e insuficiência, deve ser suprimido, demandando uma intervenção corretiva. O termo "parentalidade" se adapta a essa lógica, revelando-se como sintomático desta época.

Que a psicanálise reitere que civilização é mal-estar e que a desarmonia está na base da relação do sujeito com a cultura, não quer dizer que se espere que os indivíduos deixem de demandar a cura para seu mal-estar e seu desamparo.

A ilusão de harmonia, e mesmo a demanda que ela gera, é legítima. Já em 1927, Freud estava advertido de que não poderíamos renunciar às ilusões, uma vez que elas são necessárias para se tolerar a vida. Para operar, o discurso social conta com a ilusão, velando a verdade da desarmonia que nos é estrutural e tornando, dessa maneira, a vida tolerável. Esta é a função do que Lacan nomeou como "semblante": nos leva a crer que há realidade ou verdade onde há o real (que não cessa de não se inscrever), recobrindo com um véu a impossibilidade de recobrimento da falta.

Aqueles que se ocupam das funções parentais – que convencionamos denominar "pai" e "mãe" – operam como semblantes ao velar o real e dar testemunho, na transmissão familiar, do modo singular que encontraram para fazer frente à falta. É fundamental que eles possam suportar esse lugar, vacilando entre o velamento e o inevitável desvelamento do real. Mais ainda quando, como observa Lacan (2009, p. 27), os discursos prevalentes nesta época prometem garantir a harmonia "[...] sem sequer preocupar-se mais em saber se são ou não semblante".

Cada época, pretendendo contornar a falta que se impõe, produz novas ilusões. Podemos definir "época" como uma resposta específica e elaborada em determinado contexto histórico pela civilização, o que Lacan formula como "ausência de relação sexual" (Pujó, 2006). Esse é um dos provocativos aforismos formulados por Lacan e está intimamente relacionado à noção de semblante. O aforismo vem assinalar a impossibilidade estrutural de recobrimento da falta. Se, de um lado, a noção de relação sinaliza um ajuste perfeito, o aforismo aponta para o que é da ordem do impossível, da falta ou da perda necessária e incontornável para o sujeito. Tal formulação não só denota que não existe um ajuste perfeito, mas também revela que sempre há um resto.

A transmissão da ausência de relação sexual é uma prerrogativa da família. Os adultos que se ocupam das funções parentais são responsáveis pela necessária e contingente transmissão da falta estrutural para seus filhos. Ainda que possa parecer desnecessário, vale assinalar que tal transmissão não se confunde com a exclusão do que é da ordem sexual da família. Muito pelo contrário, o sexual é incontornável na família: está presente nos adultos sexuados responsáveis pelas funções parentais, nos cuidados recebidos pela pequena criança e na sexualidade infantil. Tal esclarecimento redobra sua importância diante da presença crescente de práticas, muitas vezes relacionadas aos discursos sobre a parentalidade, que pretendem excluir o que é da ordem do sexual do campo da família e da criação das crianças.

Veremos mais adiante como a psicanálise de orientação lacaniana circunscreve a função da família e também os efeitos que os discursos sobre a parentalidade podem ter sobre a transmissão familiar, particularmente no que diz respeito a esse aspecto estrutural e estruturante para a criança que é a transmissão da falta.

O mal-estar na família não é sem consequências para a criação das crianças, ou seja, está intimamente relacionado ao que se passa no campo da educação na atualidade. De modo que os discursos que levaram à introdução de uma nova nomeação na família também estão presentes e são determinantes para a educação[2] das crianças, configurando e ao mesmo tempo respondendo ao modo como o mal-estar na educação se conforma em nossa época; uma época na qual a criança vem sendo objeto do interesse crescente dos profissionais especializados na infância

[2] Neste texto tratarei particularmente da educação que ocorre no interior das famílias, referida às funções parentais e à transmissão.

e na família. O uso do termo "objeto" aqui não é casual, aponta para os efeitos idiossincráticos que podem produzir expressões como o "bem da criança" ou o "interesse da criança" – enunciados decorrentes dos discursos de proteção à infância prevalentes na atualidade. Uma decorrência possível de tais discursos é pretender proteger a criança do encontro com a falta: "os adeptos da parentalidade se arriscam a não mais transmitir à geração seguinte os instrumentos psíquicos indispensáveis para encarar aquilo que, entretanto, cabe a todos nós" (Lebrun, 2010, p 126).

De modo que uma das maneiras de a parentalidade comparecer no laço social é apresentando-se como uma forma de sutura da falta diante do impossível da educação, como se uma boa educação, uma educação realizada com competência, pudesse eliminar do cenário familiar o impossível da educação.

Lembremo-nos de Freud e os três impossíveis: educar, governar, psicanalisar. O que essas três profissões têm em comum? Bem, nas três profissões atualizam-se relações nas quais se demanda uma coerção, uma submissão. São também imprevisíveis, por implicarem práticas que envolvem a linguagem; onde há linguagem há mal-entendido e sempre se produz um resto.

Com isso, Freud aponta para uma impossibilidade que não é contingencial, ou seja, não está remetida a um acontecimento específico ou a algo que pode ou não acontecer; o impossível aqui é de ordem estrutural. Notemos que, se o impossível de educar é de ordem estrutural, ele se apresenta para todos aqueles que se ocupam das funções parentais. Na criação das crianças sempre há algo que escapa, um resto que insiste. A exigência de renúncia pulsional é bastante elucidativa dessa tarefa impossível: de um lado, a criança repete e insiste, e, de outro, pais e mães exigem e demandam (um exemplo é o controle dos esfíncteres e suas vicissitudes).

Como a singularidade não se arma de forma independente do laço social e de suas modificações, cada sujeito, ao ocupar as funções parentais, se vê diante da urgência de interceptar o discurso social de sua época sobre como criar os filhos, e só pode fazê-lo a partir de sua posição singular. Quando não o faz, sua criança (aqui cabe a pergunta: qual criança?) fica submetida aos ideais e imperativos regidos pelo discurso social e sem os recursos para fazer frente ao impossível da educação, que não para de se fazer presente.

Cada família, para operar, conta então com os seguintes elementos: o impossível estrutural, os modos que sua época responde a essa condição e a maneira singular pela qual cada sujeito pode se situar e depois transmitir (ao incorporar as funções parentais) esse impossível.

À impossibilidade estrutural cabe responder com o possível para cada um. Contudo, diante da consistência que assumem os discursos sobre a parentalidade e sobre a criação das crianças na nossa época, pais e mães muitas vezes são lançados na impotência, como se o impossível da educação – estrutural – remetesse a uma falha ou incompetência por parte deles. Tais discursos trabalham para produzir impotência diante do impossível da educação, causando um sofrimento nos pais que retorna no sofrimento das crianças – apesar, ou para além, da preocupação excessiva por elas e dos discursos de proteção à infância que caracterizam nossa época.

Parentalidade. Para todos?

Se cada época se renova sob a forma de uma nova ilusão, identificamos nos discursos sobre a parentalidade o modo como o impulso de corrigir as imperfeições da civilização vem se particularizando no campo da família e da criação das crianças. Valendo-se das angústias de pais e mães na criação dos filhos, tais discursos renovam e dão consistência à ilusão de harmonia, anunciando-a sob a forma da eficiência e da competência parental, como se fosse possível – e desejável – uma transmissão familiar perfeita e sem restos.

É essa dimensão da parentalidade que estou nomeando como normativa e ortopédica. Ela consiste em discursos que investem na figura de pais competentes, implicados em um modo de vida voltado à educação das crianças e despojados dos dramas que a família comporta. Como se, ao assumir-se como uma parentalidade, a família pudesse livrar-se dos excessos e também das faltas ou imperfeições inerentes à transmissão; como se o que está velado na família, a inexistência da relação sexual, pudesse ser eliminado do cenário familiar.

Em psicanálise interessamo-nos pela transmissão, e não pelo conhecimento ou pelas competências dos pais para criar filhos. No entanto, vemos impor-se, no lugar do saber inconsciente, da implicação, da angústia e dos riscos e imperfeições envolvidos no ato educativo, práticas ortopédicas e totalizantes.

Desse modo, o discurso sobre a parentalidade é mais um discurso hegemônico ao qual cabe à psicanálise não se deixar seduzir. Diante do enunciado "parentalidade para todos", evoco a relevância da desomogeneização assinalada por Agamben, e acrescento o alerta formulado por Laurent (2007, p. 145): "Dito de outro modo, é preciso recordar que não se deve tirar de alguém sua particularidade, a fim de misturá-lo com todos no universal, em razão de algum humanitarismo ou qualquer outro motivo".

O "para todos" também comparece em outros campos na atualidade. No enunciado "felicidade para todos ", por exemplo, verifica-se um achatamento do singular no universal: "É, precisamente, a partir do momento em que a felicidade passa do âmbito privado ao âmbito público, e que o público aspira manejar os corpos, que esse mesmo discurso produz um resto" (Brodsky, 2009, p. 25). Podemos então reconhecer na depressão uma resposta a esse ideal, uma objeção ao universal.

Sabemos com Freud (1981) que a cultura – mesmo sendo uma produção humana – não representa uma garantia de felicidade. Mais que isso, a cultura cobra de seus indivíduos uma perda de felicidade, uma perda de gozo, podemos dizer com Lacan. Contudo, a época atual – condensada no discurso capitalista – investe na ilusão de que não há limites para o gozo, prometendo objetos que tamponariam o aparecimento da falta. Nesse ponto convergem o mal-estar na educação e o mal-estar na família na atualidade.

No campo da infância encontramos o "para todos" nos discursos de proteção à criança e nas políticas públicas daí decorrentes. Como observa Stavchansky (2018, p. 32), "a astúcia dos novos modelos de controle radica em formular uma preocupação excessiva pela criança, seu corpo e seu entorno". Uma das formas que tal preocupação assume é a exigência de um corpo dócil. Quando isso não ocorre, os familiares são convocados, pois deveriam garantir essa docilidade em seus rebentos e, portanto, falham ao não realizá-lo. Notemos que por trás da defesa da criança sempre se institui um juízo de valores referente aos pais.

E então o que se evidencia nesse investimento na proteção à criança e na assistência às famílias é que pais cujos filhos são amparados pela ajuda social à infância não estão em situação de igualdade em relação àqueles que pretendem ajudá-los, sendo considerados, de imediato, como incapazes e culpados (Eliacheff, 2004). É neste ponto, precisamente, que localizamos a contiguidade dos discursos de proteção à infância com a introdução dos discursos sobre a parentalidade no campo da família.

Nesse contexto, torna-se fundamental que falemos de famílias, no plural, apontando para as diferentes configurações familiares, mas também na direção de desomogeneizar. Os estudiosos sobre a família enfatizam as diferentes formas adotadas pelo grupo familiar em inúmeras culturas e ao longo da história. Entendo que a desigualdade social também tem sido determinante para os discursos sobre a família ao longo da história e, particularmente, para o estabelecimento daqueles que promovem uma parentalidade normativa e ortopédica. Vale destacar que a origem do neologismo – na França, no fim dos anos 1990 – está relacionada às práticas públicas de assistência à infância e às ações de apoio aos familiares de crianças institucionalizadas (Teperman, 2014).

Constatamos, dessa forma, que para os discursos sobre a parentalidade há diferentes tipos de família, não necessariamente porque implicam diferentes configurações, épocas ou culturas, mas porque algumas, ao requererem apoio do poder público, denotam uma incompetência e uma insuficiência aparentemente intransponíveis.

Para as famílias objetificadas nos discursos sobre a parentalidade parece não restar mais ilusão possível a ser sustentada na criação de seus rebentos.[3] Nessas famílias, a função de semblante – que ao velar o real se constitui em parceira inseparável da transmissão da ausência da relação sexual – pode ficar comprometida diante da radicalidade da impotência à qual aqueles que se encarregam das funções parentais são arremessados.

---

[3] Esse aspecto é passível de observação no caso de pais e mães que perderam a guarda de seus filhos. A impotência à qual se veem lançados se expressa na impossibilidade de formular qualquer projeto para o futuro.

Penso que quando mães e pais assistidos pelo poder público marcam sua presença de forma ruidosa e conflituosa, ou então quando não aderem ao atendimento (queixa frequente nas instituições), empreendem com seus corpos – corpos agora indóceis – um esforço para fazer valer sua subjetividade. Localizo aqui seu modo de fazer objeção ao "para todos" da parentalidade.

Encontramos na ficção, nas famílias Park e Kim, particularmente no desfecho reservado à família Kim, os desdobramentos que os discursos da parentalidade podem ter no caso de famílias abastadas, assim como no caso de famílias em situação de vulnerabilidade social. Refiro-me ao premiado filme coreano *Parasita* (Joon-ho Bong, 2019).

O filme retrata duas famílias. Numa delas, a família Park, a condição financeira permite uma parentalidade sustentada na vida em torno da criança (podemos tomar como exemplo a festa de aniversário do filho) e na busca por especialistas que possam dar conta das crianças e dos conflitos na sua criação. Contudo, apesar dos esforços de sua parentalidade em tapar todo e qualquer obstáculo que possa se interpor à sua felicidade; mesmo mediante tamanho investimento – e tomo aqui o termo em sua duplicidade –, o real insiste, e o pequeno Da-song, que teria visto fantasmas (vejam que a pobreza e a miséria são aqui fantasmas que parasitam os ricos) mostra-se agitado e amedrontado.

De outro lado – ou seria mais embaixo? – o diretor retrata a família Kim. Pai, mãe e dois filhos habitam um porão e vivem à base de subempregos e trambiques. A família se desdobra na confecção de planos – algumas vezes maquiavélicos, mas incrivelmente efetivos – para ocupar os lugares reservados aos funcionários e preceptores junto à família Park.

Salto então para o desfecho do filme, quando a família Kim se vê diante de uma situação na qual o real se descobre de modo tão avassalador (enchente, desemprego, desamparo e miséria) que não há mais como recobri-lo ou sustentar o semblante parental: os pais da família Kim encontram-se imersos no real e não dispõem mais de nenhum recurso para fazer-lhe frente. É como se a ilusão de harmonia, necessária para todos, fosse roubada de sua subjetividade e de sua transmissão, impossibilitando-os de fazer planos assim como de sustentar um projeto para sua prole.

Podemos observar ao longo do filme que as posições das duas famílias retratadas são extremas, sobretudo no que diz respeito à desigualdade social; no entanto, a dificuldade em se manter como semblante afeta a ambas. Antes de encerrar esse breve comentário, pergunto: não seria o trambique protagonizado pelos membros da família Kim, para além de um modo de subsistência, um modo de fazer objeção aos "para todos" dos quais estão já de saída excluídos, um modo de recobrar alguma ilusão necessária para seguir adiante?

... não sem a família de cada um

Retomando as ideias discutidas até aqui, podemos dizer que o neologismo "parentalidade" sustenta-se em um "como se": como se fosse possível uma parentalidade homogênea, competente e asséptica; como se fosse possível excluir a dimensão do impossível da educação das crianças; como se fosse possível eliminar da transmissão a *não relação sexual*.

Arrisco propor que o modo pelo qual a psicanálise de orientação lacaniana se debruça sobre a família, localizando o que é irredutível na transmissão, pode operar como uma resposta ao "como se" da parentalidade.

Ao estudar a família, a psicanálise localiza a transmissão, por aqueles que se ocupam das funções parentais, das condições mínimas e necessárias para o estabelecimento de uma subjetividade do lado do bebê. Que se instale uma subjetividade no bebê é algo necessário mas contingente, depende de uma série de operações para ocorrer. Reduzida às condições mínimas e necessárias para que haja sujeito, a família é circunscrita em sua função de resíduo.

A noção de resíduo revela a existência de algo irredutível na transmissão familiar, mesmo que desta não haja garantias. Permite também destacar o que é estrutural na transmissão familiar, o que permanece independentemente das mudanças nas configurações familiares, das ficções jurídicas e dos discursos do especialista da família. Remete, ainda, ao que resta, e, como resto, pode também ser aquilo que causa.

Em seu texto "Os complexos familiares", Lacan (2002, p. 13) reconhece na família uma função cultural e civilizatória, pontuando que ela "[...] prevalece na primeira educação, na repressão dos instintos, na aquisição da língua acertadamente chamada 'materna'". Em um escrito posterior e extremamente importante para o estudo da transmissão familiar, "Nota sobre a criança", Lacan (2003, p. 369) refere-se à irredutibilidade de uma transmissão localizando-a na função de resíduo exercida pela família, "[...] que é de outra ordem que não a da vida segundo as satisfações das necessidades, mas é de uma constituição subjetiva, implicando a relação com um desejo que não seja anônimo".

Assim sendo, o nascimento de um filho não determina automaticamente a constituição das funções parentais. Estas requerem um processo delicado de reordenamento simbólico e não dependem dos laços biológicos nem são naturalmente produzidas por eles. A transmissão familiar é de ordem inconsciente, implica a subjetividade de cada um dos envolvidos e não coincide com uma tarefa pedagógica.

O modo como o sujeito (a criança) institui o Outro para si não constitui uma resposta às pretensões pedagógicas ou edificantes daqueles que se ocupam das funções parentais, mas revela sua singular posição em relação ao Outro. Podemos dizer que, se o Outro é decisivo, quem decide é o sujeito. Esse é um aspecto central para que, na clínica com crianças, estas possam ser escutadas desde a posição de sujeito.

Outro aspecto central é que o irredutível da transmissão não depende de que um homem e uma mulher se ocupem das funções parentais. Pai e mãe são significantes inventados para dar conta da transmissão: "a família seria então uma invenção civilizacional para a transmissão dos elementos necessários à perenização do processo de humanização" (Sauret, 2016, p. 93, tradução livre).

Lacan opera com a noção de função, visando liberar-se da consistência imaginária que pai e mãe podem adquirir, de modo que essa noção faz obstáculo ao ideal. Quando se confunde as funções parentais, estruturais, com o *papel do pai* ou o *papel da mãe*, o efeito é uma imaginarização das funções e um incremento nas fantasias de pais e mães – exploradas pelos discursos atuais – de que existiria uma boa versão de família e que, para tal, bastaria seguir as orientações e prescrições do especialista.

A operacionalidade da função materna não se confunde com a presença necessária de uma mulher, tampouco depende de que seja uma pessoa bondosa, nem de suas habilidades ou características. Pode-se dizer o mesmo em relação à função paterna.

No que diz respeito à função materna, Lacan destaca na "Nota sobre a criança" (2003) a crucialidade do desejo daquele que ocupa esse lugar, mesmo que seja "pela via de suas próprias faltas" (p. 369). Veremos a seguir que se espera que a imperfeição também compareça no exercício da função paterna. Com isso, Lacan situa duas funções necessárias e contingentes no processo de subjetivação da criança, mas não as identifica com o sexo biológico e tampouco com a presença de adultos dos dois sexos. A diferença precisa se apresentar na possibilidade do encontro com o Outro sexo – não é necessário ser heterossexual para ser Outro – e no comparecimento e na alternância das duas funções no campo da família.

A noção de função, portanto, permite manter o sujeito à distância do ideal e interrogar o real em jogo no nascimento da criança, ou seja, o desejo ou o gozo que ela condensa. A dimensão do gozo está implicada na tarefa da família, naquilo que constitui a sua função de resíduo. Desde logo, quando Lacan isola as funções materna e paterna como irredutíveis na transmissão, não estão em jogo as boas intenções de pais e mães, nem tampouco suas competências e habilidades educacionais. Vejam que até mesmo as faltas são bem-vindas!

Najles (2008) destaca um aspecto aparentemente simples mas fundamental: é como sujeitos que se escutam pai e mãe no tratamento de uma criança, isto é, não há como isolar, ao escutar o sujeito, o pai, a mãe ou a parentalidade. Não é possível assumir uma faceta "só pai" ou "só mãe" ao se criar uma criança, o que é da ordem do sexual, que se pretende expulsar nos discursos normativos e ortopédicos sobre a parentalidade, retorna quando é do sujeito que se trata.

A família como resíduo, desmembrada nas funções materna e paterna, opera a partir das versões pelas quais o gozo é singularizado em cada sujeito, e, nesse caso, não é como pai ou mãe que eles comparecem, mas como sujeitos e os modos que arranjaram de fazer frente à inexistência da relação sexual.

Contudo, o que é da ordem do sexual faz-se presente e necessário. Espera-se daqueles que se ocupam das funções parentais, que se apresentem como adultos sexuados. Em alusão à proposição de Winnicott acerca da mãe suficientemente boa, pode-se formular que "é preferível que uma criança tenha uma mãe suficientemente mulher do que uma mãe suficientemente boa" (Nominé, 1997, p. 82-86).

No final de seu ensino, Lacan (2006) situa, do modo provocativo que lhe é característico, a função paterna como *père-version*. Trata-se de uma versão sexuada da função paterna, na qual quem ocupa esse lugar para a criança funciona como vivo/desejante e como aquele que autoriza um gozo. Com um pai gozante e imperfeito, não há garantia, e "onde não há garantia, onde há uma lacuna no código, há lugar para a iniciativa, há lugar para a decisão, para a causa do desejo" (Zenoni, 2007, p. 15-26).

Na transmissão familiar, as faltas e imperfeições daqueles que se responsabilizam pelas funções materna e paterna são necessárias e bem-vindas.

A transmissão da diferença sexual é também uma importante tarefa daqueles que se ocupam dessas funções. Diante das novas configurações familiares, particularmente das famílias nomeadas "homoparentais", alegou-se que a diferença sexual precisaria manter-se para que as condições mínimas para a transmissão pudessem ser preservadas, levantando dúvidas acerca da possibilidade de essa diferença ser transmitida em tal configuração familiar; como se, no caso de pais e mães homossexuais, o encontro com o Outro sexo não pudesse ser regido pela alteridade!

Diante deste cenário, é fundamental que diferenciemos a parentalidade da escolha do objeto sexual (confusão frequente na escolha do termo "homoparentalidade" para nomear famílias formadas por casais homoafetivos). É também preciso esclarecer que a transmissão da diferença sexual não deriva da diferença sexual anatômica, não se confunde com as diferenças sociais entre homens e mulheres (o que levaria rapidamente à conclusão de que, nas famílias nas quais não há um homem e uma mulher, não haveria as condições para a criação de uma criança) e não se alteraria com a multiplicação das orientações sexuais. Entendo que psicanalistas que insistem nessas ressalvas recaem em uma imaginarização da família e das funções parentais.

Vale ainda assinalar que, para a psicanálise, a parentalidade não é predicável. Os termos "monoparental", "homoparental", "heteroparental", etc., estão referidos aos diferentes arranjos que podem estar na origem das famílias, ou seja, dão conta do fenômeno social; mas nada nos contam acerca de como os adultos se ocuparão das funções parentais. Assim, as famílias podem ser hétero, homo, mono, pluriparentais, mas, no que tange ao lugar que os adultos ocupam em relação à criação da criança, a nomeação e a função definem-se sempre como parentalidade (Teperman, 2019).

Atento às mudanças no campo da família, Leserre (2015) observa que estas não necessariamente alterariam a transmissão, desde que a família se mantenha em sua descontinuidade com a natureza e com o real. Em última análise, a função de resíduo da família se mantém desde que continue transmitindo a verdade de que não há relação sexual.

Como vimos anteriormente, quando se pretende que a família se apresente na forma de uma parentalidade, esquece-se que pai e mãe são semblantes e estes passam a ter uma consistência, cindida da singularidade do desejo que produziu a criança. Nesse movimento exclui-se a dimensão do sexual da transmissão familiar, como se o parental pudesse comparecer separadamente da subjetividade daqueles que encarnam as funções parentais.

A psicanálise vai na contramão do que discursos como o da parentalidade preconizam: onde há o genérico, o normativo e o homogêneo, se ocupa em singularizar. Desde logo, se há normal – "normalidade" é um termo escandaloso (Stavchansky, 2018, p. 32)! –, para a psicanálise este se atualiza no singular. Notemos que a singularidade é em si mesma uma objeção aos discursos homogêneos.

A especificidade da psicanálise em relação aos outros discursos reside no fato de que, embora o que se demande do psicanalista seja desembaraçar-se do real e do sintoma, ele está advertido de que não há como eliminá-los. Diante da demanda pela eliminação do real, é preciso que a psicanálise continue a falhar (Lacan, 1981). Ou, como esclarece Sauret (1998), se o psicanalista não escolhe o lugar em que se impõe o pedido social – o lugar em que é demandado –, pode, sim, escolher a sua resposta.

O percurso realizado permite afirmar que a família como resíduo, ancorada nas funções materna e paterna e nos modos como pai e mãe se conformam em semblantes, está do lado da estrutura: necessária, mas pendente do que é da ordem da contingência, ou seja, é descompletada pelos traços, posições e valores que prevalecem em determinada época no laço social e pela posição singular dos sujeitos implicados em cada uma dessas funções. A psicanálise, ao bascular entre o universal e o homogêneo que os discursos sobre a parentalidade veiculam e a singularidade inerente à noção de família como resíduo, faz comparecer a impossibilidade de recobrimento da falta, condensada no aforismo lacaniano "não há relação sexual". De modo que ao "para todos" intrínseco aos discursos sobre a parentalidade, à psicanálise cabe responder reenviando cada família à sua singularidade.

Em 1938 Lacan já advertia que "não somos daqueles que se afligem com um pretenso afrouxamento do liame familiar" (Lacan, 2002, p. 60). Naquela época era impossível prever os rumos que a diversificação dos arranjos familiares, sexuais e de gênero tomariam. Tampouco era possível antecipar os avanços da ciência no campo da procriação medicamente assistida. Contudo, Lacan já apostava na potência da família em seu caráter estrutural e estruturante. De modo que podemos dizer que a *ausência de relação sexual* tende a continuar a ser transmitida ali onde a parentalidade pretenderia excluí-la, não sem que novas nomeações venham a se fazer necessárias no campo da família e também no campo da psicanálise, ao reiterar a convocação de estar à altura do laço social de sua época.

Referências

AGAMBEN, G. Qué es lo contemporâneo? Texto lido no curso de Filosofia Teorética realizado na Faculdade de Artes e Desenho de Veneza entre 2006 e 2007. Tradução de Verónica Nájera. 2012. Disponível em: <https://bit.ly/3c18H6g>. Acesso em: 17 jan. 2020.

BRODSKY, G. Conferência: as utopias contemporâneas. In: *Carta de São Paulo: Boletim da Escola Brasileira de Psicanálise*, São Paulo, Edição Especial, ano XVI, mar. 2009, p. 25.

CHEMAMA, R. *Elementos lacanianos para uma psicanálise do cotidiano*. Porto Alegre: CMC Ed., 2002.

ELIACHEFF, C. *La famille dans tous ses* états. Paris: Éditions Albin Michel, 2004.

FREUD, S. (1930). El mal estar en la cultura. In: *Obras Completas,* v. III. Madrid: Editorial Biblioteca Nueva, 1981.

FREUD, S. (1927). El porvenir de una ilusion. In: *Obras Completas,* v. III. Madrid: Editorial Biblioteca Nueva, 1981. p. 2961-2992.

LACAN. J. (1938). *Os complexos familiares na formação do indivíduo.* Rio de Janeiro: Jorge Zahar, 2002, p. 13.

LACAN. J. (1969). Nota sobre e a criança. In: *Outros Escritos.* Rio de Janeiro: Jorge Zahar, 2003, p. 369.

LACAN. J. (1971). *O seminário, Livro XVII: De um discurso que não fosse semblante.* Rio de Janeiro: Jorge Zahar, 2009, p. 27.

LACAN, J. (1975-1976). *O Seminário, Livro XXIII: O sinthoma.* Rio de Janeiro: Jorge Zahar. 2006.

LACAN, J. (1974). A Terceira. Comunicação feita ao Congresso da EFP em Roma. In: *UM Lacan inéditos.* São Paulo: Escola Freudiana de São Paulo, Departamento de publicações internas, 1981. p. 1-32.

LAURENT, E. *A sociedade do sintoma. A psicanálise, hoje.* Rio de Janeiro: Contra Capa Livraria, Opção Lacaniana n. 6, 2007, p. 145.

LEBRUN, J.-P. *O mal-estar na subjetivação.* Porto Alegre: CMC Editora, 2010, p 126.

LESERRE, A. *Una lectura de Nota sobre el niño.* Olivos: Grama Ediciones. 2015.

MURILLO, M. *Qué es La época? Psicoanálisis, historia y subjetividad.* Buenos Aires: Entre Ríos, 2018.

NAJLES, A. R. *Problemas de aprendizaje y psicoanálisis.* Buenos Aires: Gramma Ediciones, 2008.

NOMINÉ, B. A família e o sintoma: questões a Bernard Nominé. In: *Revista Correio,* São Paulo: Escola Brasileira de Psicanálise, n. 17, 1997, p. 82-86.

PARASITA. Diretor: Joon-ho Bong. Produtores: Kwak Sin-ae, Moon Yang-kwon, Jang Young-hwan. Produção Barunson E&A, 2019. 131 min.

PUJÓ, M. *Para una clínica de la cultura.* Buenos Aires: Grama Ediciones, 2006.

SAURET, M. J. *O infantil & a estrutura.* São Paulo: Escola Brasileira de Psicanálise, 1998.

SAURET, M. J. Pouvons-nous passer de la mére et du père? In: (Org.) COUM, D. *Avons-nous besoin de père et de mère?* Toulouse: Éditions Érès, 2016.

STAVCHANSKY, L. Infancias, biopolítica y psicoanalisis: reflexiones sobre el cuerpo, el discurso y el poder. In: STAVCHANSKY, L.; UNTOIGLICH, G. (Orgs.) *Infancias: entre espectros y trastornos.* México: Paradiso, 2018.

TEPERMAN, D. W. *Família, parentalidade e época: um estudo psicanalítico.* São Paulo: Escuta/Fapesp, 2014.

TEPERMAN, D. W. Sangue não é água, a convivência também não. In: *Dossiê Parentalidade e vulnerabilidades, Revista Cult,* São Paulo, n. 251, 2019.

ZENONI, A. Versões do Pai na psicanálise lacaniana: o percurso do ensinamento de Lacan sobre a questão do pai. In: *Psicologia em Revista,* Belo Horizonte, v. 13, n. 1, p. 15-26, jun. 2007.

INTERLOCUÇÕES

Sobre laranjas mecânicas, feminismo e psicanálise: natureza e cultura na dialética da alienação voluntária

Marília Moschkovich

Um feto flutuando num espaço vazio que, com sorte, sabe-se ser líquido amniótico. No máximo uma das pontas do cordão umbilical ligado à sua barriga. Talvez algumas veias. Essa é a imagem mais comum para representar um "feto" em nosso imaginário coletivo e, não à toa, é o que se encontra em mecanismos de busca de imagens quando lançada essa palavra aos robôs. Essa é também, *mutatis mutandis*, a imagem discutida pela antropóloga Marylin Strathern em *After Nature* (1999), infelizmente ainda sem tradução brasileira. O título do livro é provocativo e pode tanto significar "depois da natureza" (no sentido de uma era posterior à da natureza), quanto "atrás da natureza" (no sentido de procurar, buscar, correr atrás perseguindo). É a partir dessa tensão dada pela ambiguidade do título que a antropóloga feminista e autora do canônico "O gênero da dádiva" (2013) apresenta potentes reflexões sobre parentesco e, como não poderia deixar de ser, entre outras coisas, parentalidade também. A parentalidade, afinal, é uma atividade essencial do sistema de parentesco e só pode existir contida nele – mas voltemos ao feto, onde ela, para nós, parece começar.

De forma bastante precisa, Strathern aponta que a representação mencionada, comum e popular, exclui diferentes tipos de vínculo biológico e sanguíneo fortes e evidentes também presentes no processo de gestação, parto e amamentação (sem falar, acrescento eu, em vínculos também biológicos da parentalidade que não dependem desses três pilares, como alimentar um bebê ou adequar seu ritmo adulto de sono e de corpo às necessidades da pequena criatura). Esses vínculos biológicos que não são a genética, em geral, são muito mais fortes, evidentes e relevantes para a construção das relações de parentalidade e filiação do que o mero compartilhamento de código genético, que, aliás, foi tomado apenas a partir de um certo momento recente da história como evidência de "consanguinidade" e se localiza numa perspectiva cultural e racial particular. Em linguagem popular, falamos em pais "biológicos" como aqueles que originaram o código genético de cada um – uma interpretação corrente que exclui como se não fossem biológicos todos os demais tipos de vínculos corporais já mencionados, inclusive os de extrema troca de fluidos e tecidos como a tríade gestação-parto-amamentação. Essa forma bastante precária de observar a parentalidade confunde, ainda, uma construção que é da ordem da cultura – ser pai, ser mãe – com um dado biológico ou, ainda pior, genético. Mais ainda, confunde-se sobre a noção do que seja a biologia; afinal, nem tudo que o corpo é ou faz é genético, ao passo que tudo que o corpo é ou faz é, em alguma instância, biológico (já que a biologia é inteiramente uma forma de ciência dos corpos).

Essa anedota é bastante significativa da nossa forma de entender a parentalidade no senso comum e do quanto investigações críticas e analíticas por meio da psicanálise, da filosofia e das ciências sociais deixam evidentes essas contradições. Ela aponta, de saída, para o eixo natureza-cultura – ou melhor, a tensão dialética entre ambas – como motor desse sistema igualmente (in)tenso a que chamamos "parentesco" e que organiza não apenas as nossas relações pessoais, como igualmente as esferas jurídica e política, assim como a economia, a produção e a reprodução social e – pasmem! – biológica dos seres humanos no contexto do modo de produção capitalista. Essas percepções todas, por sua vez, estão diretamente ligadas a uma ruptura epistemológica nas ciências sociais e humanidades que, se não foi causada, foi ao menos catalisada e intensificada pelo processo de articulação do que podemos nomear teorias feministas e estudos feministas. Daqui parto neste breve ensaio e por isso este ponto de parto (ou de partida) é útil, na medida em que procuro investigar a tensão entre natureza e cultura no que tange à parentalidade a partir de uma perspectiva feminista e de estudos de gênero, condensando, na medida do possível, algumas pontes significativas para o debate psicanalítico.

Parentalidade, parentesco e a antibiologia

A relação entre natureza e cultura, cuja linguagem talvez possa ser traduzida em 2020 para a relação entre "biologia" e cultura, acompanha a filosofia desde a Antiguidade, tanto no fictício Ocidente quanto no mundo real. Há quem levante a hipótese de que essa pergunta que parece tão universal quanto a racionalidade humana só é possível pela condição que só ela é capaz de expressar – e a resposta estaria, então, na própria pergunta e em como é colocada. Após o Iluminismo europeu, porém, é que essa cisão passa a ganhar corpo, como passam a ganhar corpo as comparações e metáforas que inserem ora natureza na cultura, ora cultura na natureza; e a ciência moderna é fruto direto e fio central dessa trama, com suas plantas "fêmea" e "macho". Não à toa menciono aqui um dos muitos exemplos em que é o sistema de gênero o principal informante da interpretação científica do mundo: sendo a ciência, como produto social, generificada,[1] ela carrega também pistas preciosas sobre como apreendemos o que há ao redor. O Gênero,[2] enquanto sistema simbólico e dispositivo de poder – talvez num sentido próximo àquele proposto por Foucault, para quem o poder não é algo que se detém, mas um lugar a partir do qual ele pode ser exercido sobre outrem –, faz com que suas categorias, situadas historicamente e bastante relativas, apareçam como universais, a-históricas e naturais, como é o caso do "sexo biológico". Esse é um dos mecanismos pelos quais o gênero, enquanto, sistema, se mantém operando.

---

[1] Embora a palavra "generificada" não esteja dicionarizada no Brasil, ela ainda é, conforme discuto em Moschkovich (2015), a melhor tradução para o termo "*gendered*", do inglês, adjetivo que indica tudo aquilo que é organizado, desenhado, delineado ou delimitado também ou centralmente pelo sistema de gênero.

[2] Ao longo deste texto, ao me referir ao sistema de gênero, utilizo a inicial maiúscula: Gênero, "o" Gênero, etc. O mesmo ocorre quando menciono o sistema de parentesco, utilizando a maiúscula: Parentesco.

Os diversos sistemas de parentesco até hoje relatados e analisados em diferentes momentos da história da antropologia têm, sendo sistemas simbólicos e dispositivos de poder como o Gênero, o mesmo tipo de funcionamento. Suas categorias – mãe, pai, filho – são igualmente evidenciadas como naturais, a-históricas, biológicas, imutáveis. Como no caso do Gênero, a ciência também toma por verdade o que não passam de metáforas no caso do Parentesco, sobretudo desde o Iluminismo europeu. Assim, falamos em "mãe" e "pai" para plantas, animais, etc. e aplicamos construções da nossa história e da nossa cultura (e, surpresa nenhuma, também algumas essencialmente ligadas ao nosso modo de produção e à nossa economia) a seres que operam por meio de outros mecanismos e processos. Pior ainda, aplicamos categorias essencialmente simbólicas (como as categorias da parentalidade) a seres que nem sequer dispõem de estrutura biológica/neurológica para operar com representações e símbolos. Tudo isso funciona e tem funcionado para alguns propósitos, especialmente quando se reconhece o limite de que se trata de metáforas – do contrário, as próprias categorias nos cegam e minam o alcance dos achados científicos. As categorias simbólicas que orientam a nossa existência e fundam-se tijolos ou argamassa da nossa construção subjetiva, nos parecendo evidentes e naturais, precisam também por esse motivo ser questionadas, relativizadas e até mesmo merecem, de certa maneira, ser alvo de deboche. A "mãe de pet" ou a "mãe de planta", em polêmicas inócuas nas redes sociais, podem ser nesse sentido uma lufada de ar fresco numa categoria já tão seca, dura e aprisionadora do nosso parentesco. É preciso que não se confunda, porém, novamente, a categoria com as relações concretas e a materialidade que ela diz denotar enquanto esconde.

O antropólogo Claude Lévi-Strauss, em "As estruturas elementares do parentesco" (2003), um de seus textos canônicos, aponta para o parentesco como o único possível momento de "passagem" de um suposto "estado de natureza" do ser humano, imaginado de forma colonial pelos europeus sobretudo no contexto do Iluminismo, para a cultura. O momento fundante do que se poderia chamar de "estrutura social". O ponto central do autor francês é que o parentesco é um sistema simbólico que coloca normas sobre a reprodução biológica. Mais especificamente, uma norma universal e fundante: a proibição do incesto. Embora o que se considera incesto varie enormemente entre as sociedades de cujos sistemas de parentesco temos registro, há sempre algum tipo de relação de casamento considerada incestuosa, que é proibida, forçando alianças entre grupos (chamados na nomenclatura europeia de "clãs" e no senso comum, um tanto erroneamente, de "famílias"). Esse laço social, forçado pela imposição universal dessa norma, seria, segundo Lévi-Strauss, o início (embora impossível demarcar historicamente um momento preciso em que isso tenha passado a ocorrer) das sociedades humanas como construções que não são meramente gregárias.

Embora tenha trazido grandes *insights* e novas percepções para a maneira científica de analisar diversos fenômenos sociais, a obra de Lévi-Strauss também tem seus limites históricos, sociais, temporais, de gênero e até mesmo políticos. Entre as principais críticas aos estudos de parentesco clássicos, como é o caso da obra seminal de Lévi-Strauss, estão justamente as antropólogas feministas como a própria Strathern ou Gayle Rubin (2011), cujas contribuições críticas foram importantes pilares para o desenvolvimento do próprio conceito de gênero, conforme explico em outro trabalho (Moschkovich, 2018). Um dos focos dessas críticas, bastante contundentes, é o de que, embora apontasse o parentesco como um sistema simbólico, a escola estruturalista parecia acreditar em suas categorias como dados da própria natureza, utilizando categorias como "pai", "mãe", "irmão" não apenas como recursos metafóricos – o que também é compreendido hoje, nos debates sobre descolonização do pensamento, como parte dos traços do colonialismo europeu nas ciências sociais e humanidades. Ao que nos interessa para os propósitos deste ensaio, porém, cabe avaliar uma outra contradição importante nas proposições e análises de Lévi-Strauss: o pouco cuidado em descrever, de maneira analítica, até onde vão "casamento", "reprodução biológica", "parentalidade" e "trabalho de cuidados", categorias que se pretendem descritivas , mas que não podem, num escrutínio atento e feminista, se equivaler. Os chamados "novos estudos de parentesco", a partir também de Strathern (1999), mas principalmente de Schneider ([1974] 2016) e mais recentemente também de Carsten (2007) com seu *After kinship* (referência ao jogo de palavras usado por Strathern e mencionado no início deste ensaio, mas que inclui "*kinship*" – parentesco –

no lugar onde o título de Strathern fala em "natureza"), buscaram desnaturalizar e romper com os resquícios do pensamento biologizante sobre o parentesco, à semelhança do que autoras como Rubin (2011) e Butler (2019) fizeram para o gênero.[3]

Não à toa, tanto os novos estudos de parentesco quanto os estudos de gênero se intensificam no processo das ciências sociais e humanidades em afirmar, no espaço científico, sua pertinência e seu pertencimento. A empreitada de expor de maneira cada vez mais explícita que os fenômenos sociais não podem ser analisados por uma ideia de natureza ou de biologia também bebem da fonte da psicanálise. A ruptura operada pela psicanálise em relação às ciências médicas pode ser compreendida nesse sentido. É também no diálogo com a psicanálise (sobretudo a partir de Lacan), por fim, que os estudos feministas avançam em tornar-se, cada vez mais, estudos de gênero (Moschkovich, 2018).

A virada epistemológica radical operada pelo feminismo nas últimas cinco décadas, passando de uma compreensão ao menos parcialmente biologizante de um "sexo" para uma compreensão que rejeita qualquer determinação biológica sobre o que entendemos hoje como sendo o gênero, porém, também mostrou alguns riscos. Entre eles, o de que essa nova percepção fosse cooptada politicamente num projeto de dissolução dos sujeitos políticos (e por isso necessariamente coletivos), como a "mulher", entre outros, tendo em vista uma dissociação do aspecto inerentemente feminista de se pensar em termos de gênero. Se entendemos que Gênero é um sistema simbólico, um dispositivo de poder, e determina posições em que uns exercem poder e têm direitos sobre outros, ora, essa é uma compreensão necessariamente feminista. Sobretudo porque a compreensão sistêmica dessa esfera da vida social não implica – muito pelo contrário, aliás – a anulação das categorias que se articulam para que seja possível falar em "sistema", em primeiro lugar. Numa perspectiva rigorosa, ao falar em gênero, deve ser impossível recusar a compreensão da tensão dialética entre as categorias, as relações entre elas e a totalidade do sistema. Por esse

[3] Há muita disputa certamente sobre o que é gênero, e muitos usos desse termo. Refiro-me, no caso, à análise que fiz de maneira mais detalhada no primeiro capítulo de *Feminist Gender Wars*, minha tese de doutorado. Ver: Moschkovich, 2018.

motivo, o próprio texto de Butler (2019), relativamente mal-interpretado no campo político, não propõe a dissolução das identidades, nem o fim da identidade "mulher" ou a rejeição completa de que a "mulher" seja o sujeito político do feminismo; mas, em vez disso, mira na potência da subversão das identidades, "mulher" inclusive, como forma de causar ruído nesse sistema até que ele, enfim, possa por si mesmo ruir.

Penso parecido sobre o parentesco. As categorias como "mãe" podem ser metaforizadas, banalizadas, levadas pouco a sério – cada vez menos a sério – se quisermos atacar o problema de maneira sistêmica. Sem que isso implique o não reconhecimento desse sujeito político e dessa identidade, que determinam e são determinados por uma série de relações sociais bastante específicas que implicam, sim, por sua vez, uma posição inferior no nosso sistema de parentesco. Essa posição, contudo, é inferior justamente por causa do Gênero, e não em razão apenas do Parentesco. Embora indissociáveis concretamente, Gênero e Parentesco podem ser aqui analiticamente separados, evidenciando assim as relações que os mantêm juntos na concretude. Concretude essa que aparece por meio do corpo e de tudo aquilo que o limita e determina, e que é determinado por ele. É no corpo que Gênero e Parentesco se cruzam. No corpo de quem? – essa é a pergunta que devemos nos fazer, uma vez que todos fomos fetos, e que o feto não flutua nunca em um espaço vazio, e nem é capaz de manter-se vivo sem outro corpo.

Autonomia e alienação voluntária na laranja mecânica dos corpos

Paralelo metafórico com o romance de Burgess (2019), a "laranja mecânica" aqui serve como imagem da articulação tensa entre natureza e cultura, e entre as categorias "natureza" e "cultura" no sistema total de representações com o qual operamos. No romance que inspirou o filme dirigido por Kubrick (1971), o eixo central da trama é a articulação tensa entre os impulsos (muitas vezes destrutivos) e a inculcação de limites a eles, algo bastante próximo da dialética natureza-cultura discutida nas páginas anteriores. O filme, mais conhecido no Brasil do que o romance, foi baseado em uma versão estadunidense da obra que não contava com o capítulo final original. É lamentável, de certa forma, para a referência neste ensaio, a ausência desse capítulo e do que ele poderia trazer para a obra cinematográfica, pois ele mostra o protagonista se tornando adulto e se adequando a uma sociedade doente, apresentando potentes reflexões sobre como opera a cultura, podando certa libido que se reconfigura a partir dos limites impostos, e a projeção da possibilidade de ter filhos como a possibilidade também de rejuvenescer e transgredir um novo lugar. Retorno, então, à metáfora do título: a laranja, em toda a sua esplendorosa existência, como algo que é mecânico, artificial – em oposição ao que seria orgânico, natural.

Um outro ponto do romance que nos vale para a reflexão aqui proposta é o chamada "Técnica Ludovico". Um tratamento violento que promete curar os instintos e impulsos de violência. Na trama do livro, a técnica é adotada voluntariamente, embora sob alguma coerção, pelo protagonista. Durante o tratamento, ele abdica do controle de seu corpo na esperança de que alguém "melhor" controle seu incontrolável imaginário, seu desejo, seu pensamento. Nisso se parece com a forma como algumas pessoas talvez encarem as sessões de terapia ou de análise – uma esperança que é rapidamente solapada para os mais atentos, que talvez voltem ao divã com algum desamparo. Nisso se parece também com o intenso processo de engravidar, parir e amamentar experimentado por pessoas que vivem em corpos com útero.

Nessa dobradiça de carne e sangue entre natureza e cultura, nós brasileiras e brasileiros do ano 2020 vivemos uma dupla alienação. Por um lado, a alienação de delegar o conhecimento e a sabedoria, assim como tantas decisões importantes de todo esse processo que chamo de tríade de ouro (gestação-parto-amamentação), a uma pessoa que se crê ter um saber especializado. Como o protagonista Alex, em *Laranja mecânica*, o fazemos numa submissão violenta a práticas violentas que acreditamos (ou desejamos?) serem melhores para nosso corpo, para a convivência em sociedade, para nos adequarmos às normas, do que aquilo que encontramos de sombrio dentro de nós mesmas e que pode também nos governar (e governa, tanto menos se conhece tal sombra).[4]

[4] Utilizo o feminino em meus textos para falar de grupos que incluem todas as identidades. Essa é uma decisão tanto política quanto epistemológica, feita por

Ao mesmo tempo, o ideal iluminista de liberdade individual tampouco é capaz de apresentar solução melhor para o impasse necessário da experiência que é o segundo tipo de alienação, quer dizer, alienar o próprio corpo colocando-o a serviço desse outro corpo que nosso corpo gesta, pare, nutre, produz. Isso porque o saber científico sobre esses processos, grande aliado do cuidado, é dominado por algumas poucas pessoas que se colocam e são colocadas no papel de guardiãs (com todo o potencial autoritário disso, é fato) desse saber. A única mediação possível entre todos esses vértices é a recusa categórica e impassível da fantasia individualista da liberdade individual em prol de uma construção ativa e coletiva, e para tanto necessariamente solidária, de autonomia. Um exame do caso específico da amamentação – para ficar razoavelmente distante do "vínculo biológico" mais comumente evocado quando o debate sobre parentalidade aparece – pode apoiar a elaboração de contundentes novas perguntas sobre essas questões.

A ciência (nada mais artificial) vem descrevendo de maneira cada vez mais detalhada as benesses nutricionais da amamentação. O leite (antes humano do que materno) que produzimos é um alimento completo cuja composição, produção, etc. são fascinantes pela engenharia biológica envolvida em todo o processo. Nele, dois corpos, antes acoplados e separados, partidos no parto, se vinculam tanto pela missão conjunta de sobrevivência quanto pelo descompasso de serem dois, e pela troca de tecidos e fluidos. Sabe-se hoje que a saliva do bebê entra

---

dois motivos. Primeiro, é derivada da compreensão de que no gênero como o vivemos, em nossa sociedade, o masculino é a posição, a norma, e aquilo que nega essa norma, a antítese, o impossível de captar, é denotado pelo feminino. Sendo assim, os corpos trans, inclusive transmasculinos, como ruptura radical da norma do masculino (e subversão mesma dessa identidade homem, no sentido Butleriano), estão inclusos curiosamente no campo do feminino (ah, a dialética!). Isso não equivale a dizer, ressalto, que homens trans não são homens – muito pelo contrário! – uma vez que "masculino" e "homem" não se equivalem mesmo quando parcialmente se sobrepõem. Para além de todo esse debate, que pode e merece ser também objeto de crítica da parte de quem o lê aqui, retomo, em segundo lugar, que mesmo no contexto de pessoas cisgênero prefiro me referir a grupos que misturam homens e mulheres sempre utilizando a flexão no feminino como indicativo do coletivo.

pelos dutos do seio e informa o corpo que amamenta de suas necessidades nutricionais. Esses dados podem dar a impressão, afinal, de que se trata de uma questão instintiva: bebê nasce com instinto e necessidade de sugar, afinal; enquanto o seio precisa ser sugado sob pena inclusive de adoecer caso não seja.

No entanto, como viemos discutindo desde o início deste ensaio, o fato de esse processo ser biológico não significa que não seja também cultural, social, aprendido e, até certo ponto, artificial (no sentido de "*ars*", palavra latina para a grega "*techne*", "técnica"). O sugar instintivo de um recém-nascido precisa, por sobrevivência, dar lugar a uma sucção muito mais técnica do seio daquela pessoa que amamenta: a maneira de abocanhar os mamilos (a chamada "pega"), a posição, o movimento da língua e dos lábios: trata-se de um dos primeiros processos de aprendizado e transmissão de cultura, de saber, de técnica – artificialidade ou arte que seja. O bebê e a pessoa que amamenta podem até sobreviver sem esse aprendizado, mas é fato que sua ausência custa bastante, física e psicologicamente, em nosso contexto social. A ausência desse aprendizado, de diversas maneiras, dói, e não dói pouco. Diante dessa dor específica, curiosamente, a abordagem que recorre ao conhecimento científico – por mais que seja um saber reservado a relativamente poucas pessoas – é a forma possível de, contraintuitivamente, não alienar o próprio corpo a práticas violentas de sua própria Técnica Ludovico, construindo alguma autonomia.

No Brasil é comum, ao anúncio da gravidez, que se propague uma série de dicas de automutilação e desgaste físico dos mamilos, sob o pretexto de "calejá-los" e supostamente evitar a dor no início da amamentação. Diante da ideia de que a dor é natural, parte desse processo que parece tão biológico e instintivo, muitas amamentam sob dor excruciante durante quatro, cinco, seis meses, até que a boca do bebê se torne grande o suficiente para que, mesmo a técnica de "pega" estando incorreta, não haja tanta dor – embora a narrativa dominante vá dizer que a dor cessa porque o mamilo de fato caleja. Uma pessoa que demore quatro meses para conseguir amamentar sem dor passa cerca de 120 dias amamentando com dor. Um recém-nascido mama até dezoito vezes num dia, mas vamos estimar menos da metade – oito vezes por dia.

São 960 mamadas em quatro meses. Quase mil. Cada uma delas dura entre dez e quinze minutos no mínimo, ou seja, 160 horas, ou seis dias e meio, sem interrupções, numa estimativa bem abaixo da média. Uma tortura digna da Técnica Ludovico, é verdade. Choro constante (de quem amamenta), medo da próxima mamada e raiva do bebê são alguns fenômenos considerados normais, já que aprendemos que é natural que seja assim, que essa é a natureza e que nos resta (sobretudo às mulheres cisgênero, ditas naturalmente talhadas para esse processo) aguentar. (Da mesma forma, a ideia de performar uma masculinidade que aguenta intensos processos físicos pode ser igualmente utilizada contra o bem-estar de homens trans.) Afinal, e aí vem o bônus cruel da cultura que tem aparência de natureza, sem isso o bebê supostamente morre. É essa a mensagem que está gravada na cabeça, no corpo e até, aparentemente, nos hormônios: sem isso o bebê morre.

A verdade, porém, é que não morre. Para efeitos anedóticos e ensaísticos, imaginemos uma pessoa que pare um bebê e em seguida morre, abandona ou desaparece por qualquer motivo. Se hoje esse bebê provavelmente receberia fórmula como alimento até poder comer, vale lembrar que há também outros seres humanos que podem amamentá-lo (lactação induzida é uma prática comum em diversos outros momentos históricos e sociedades, e usada inclusive como violência no caso das amas de leite negras escravizadas) ou, até mesmo, outros animais (há achados arqueológicos recentes que mostram que o consumo de leite de outros animais por humanos para alimentação infantil é uma prática bem mais antiga do que imaginávamos). Embora essa situação talvez não atenda os critérios internacionais de padrão de saúde, importa lembrar, neste exercício argumentativo, que a morte no parto tampouco faz parte desse ideal e, ainda assim, ela acontece. Importa também evidenciar que tanto a fórmula quanto as demais opções de aleitamento – inclusive a própria amamentação operada por quem pariu, como observado nos parágrafos anteriores – são produto da mais refinada tecnologia já desenvolvida pelo ser humano: a vida em sociedade.

A complexidade emocional do processo de amamentação, assim, não se limita aos casos em que há dor e desinformação. Retornando à Técnica Ludovico e à imagem da laranja mecânica, insisto que a amamentação, tanto quanto a gestação ou o parto, provoca por definição um tensionamento da autonomia sobre o próprio corpo de quem amamenta. Se por um lado é possível escolher até certo ponto amamentar em horários convenientes (e não em livre demanda), por outro, o corpo que amamenta necessariamente vai se acostumar com o ritmo e, no limite do limite, também a conveniência da pessoa lactante terá que encontrar um meio termo com a fome do bebê, dispondo de outros recursos (como outras pessoas lactantes, fórmula, etc.) para atender a suas necessidades. Nessa interseção entre natureza e cultura, mesmo que o corpo queira dormir oito ou doze horas seguidas (e olha que em geral ele quer, hein!), é bem possível também que ele acorde com dor nos seios inchados cheios de leite, ou acorde apenas porque se desacostumou ao sono por períodos longos. Amamentar implica uma perda voluntária de controle e determinação sobre o próprio corpo, de ordem diferente daquela experimentada na gestação. Uma gangorra maluca entre autonomia e dependência, de quem amamenta e do bebê. Depois de um tempo é comum que a pessoa lactante nem sequer seja capaz de identificar se está amamentando porque quer ou porque o bebê quer, e que tampouco creia ser possível querer ou não querer qualquer coisa. Novamente nesse contexto, as políticas públicas que podem garantir condições adequadas, informações adequadas e atendimento profissional adequado (psicológico, psicanalítico ou de consultoras de amamentação), baseado em evidências científicas, parecem ser a chave da construção que, porque política, necessariamente é coletiva, de autonomia de quem amamenta sobre o próprio corpo e sobre essa relação que é a amamentação. Repensar a amamentação, a gestação e o parto a partir dessa chave "des-naturalizante" e "des-biologizante" nos permite também atacar centralmente os alicerces da parentalidade como conhecemos.

Uma breve conclusão: implodindo o mecanicismo da natureza pela boca

A mesma tecnologia que permite que um bebê sobreviva caso morra a pessoa que o alimenta e amamenta prioritariamente – a vida em sociedade – também permite, como mencionado anteriormente, a variação no vínculo social e afetivo da alimentação. Observar o caso por essa perspectiva nos permite avaliar algumas formas de ampliar corporal e concretamente as possibilidades para relações parentais e de cuidado, potencialmente implodindo o modelo sufocante de maternidade, paternidade, parentalidade e família que massacra tantas de nós todos os dias.

A vida em sociedade permitiu aos seres humanos desfrutarem de uma série de avanços e modificações no seu entorno, que criam e recriam sistematicamente novas possibilidades para a própria vida em sociedade. Nesse esquema circular de superação constante (e também de destruição constante), elaboramos recursos como fertilizações *in vitro*, adoções, barrigas de aluguel – objeto das belíssimas obras de Strathern (1999) e Carsten (2007) já discutidas aqui, mas também do trabalho recente de Sophie Lewis (2019) – como estratégias reprodutivas que ao mesmo tempo reforçam e desafiam nosso entendimento sobre tudo aquilo que é da ordem do Gênero e do Parentesco. Apesar disso, ainda mantemos, na raiz da nossa forma de pensar as relações parentais e de cuidado com crianças, em geral, a ideia o mais tradicional possível de maternidade, paternidade, família e consanguinidade.

É bem verdade que essa forma tradicional ganhou novas roupagens com, por exemplo, a substituição da ideia de "compartilhar sangue" pela ideia de compartilhar "código genético", deixando o "sangue" apenas como metáfora/ilustração do que realmente queremos dizer quando falamos em "consanguinidade", algo que também já debatemos no início deste ensaio. Cabe complementar que os novos estudos do parentesco também mostram que diferentes sociedades têm diferentes ideias de consanguinidade. A nossa, em particular, parte de uma narrativa genética (o que é diferente de dizer que ela parte da genética em si) que não é a única possível – nem mesmo em nossa própria sociedade ou forma de organização social. Assim, retomando as premissas deste texto, quando falamos em "mãe biológica" ou "pai biológico", em geral estamos falando de pessoas cujo código genético foi a base para a genética de certo corpo. Excluímos a amamentação, a alimentação e até o colo como vínculos biológicos que são. Excluímos também situações complexas como gestantes que gestam e parem bebês com quem não compartilham nenhum código genético (em caso de doação de óvulos, por exemplo). Reorganizar esse entendimento é uma tarefa que, embora difícil, tem o potencial de resolver uma questão central do feminismo: a desigualdade na distribuição das tarefas cotidianas de cuidado.

Sabemos histórica e estatisticamente que, em nossa sociedade, as mulheres cisgênero são responsabilizadas e se responsabilizam pelas tarefas de cuidado. Entre elas, está o caso tomado aqui para análise concreta, que é a tarefa de amamentar. No caso da amamentação e do aleitamento humano, a relação biológica de produzir o leite é usada como pretexto para reafirmar a distribuição de tarefas que a nossa cultura diz que tem que existir: diz-se, daí, que só as mulheres podem amamentar e/ou alimentar o bebê, e, portanto, elas têm de ficar em função do bebê, não podem sair de casa, não podem ficar longe do bebê, etc. Ao mesmo tempo em que, para muitas, esse espaço um tanto exclusivo às vezes é um alento, ele também faz parte do peso que outras muitas sentem quando o assunto é produzir leite e amamentar. Como fazer uma divisão igualitária de tarefas domésticas com um bebê pequeno, se a exaustiva tarefa de amamentar não puder ser dividida ou pelo menos concebida como tarefa passível de divisão? Importa aqui, então, compreender gestar, parir e amamentar também como tarefas domésticas e de trabalho reprodutivo que, quando não puderem ser divididas, deveriam ao menos ser compensadas no cálculo geral das tentativas de dividir de forma igualitária o trabalho reprodutivo e doméstico.

Alguns pontos cruciais precisam ser colocados ao enfrentarmos essa questão. Encerro este ensaio, como não poderia deixar de ser, com os possíveis desdobramentos políticos de toda a teoria antropológica e filosófica que foi aqui apresentada. O primeiro deles é que o movimento feminista tem falhado politicamente ao adotar perspectivas menos revolucionárias e mais reformistas no que diz respeito às tarefas de cuidado, ao trabalho doméstico e à compreensão da reprodução social, com todo o debate sobre autonomia do corpo que isso implica. E se, por um lado, segue realizando uma defesa contundente da legalização e do acesso ao aborto seguro, ponto fundamental dessa luta, por outro, parece acreditar na fantasia (informada pelo nosso sistema de parentesco) de que a família ideal é uma solução para os problemas do Gênero.

Nesse sentido – e esse é o segundo ponto –, toma como bandeira uma divisão igualitária de tarefas domésticas entre os casais, como se, em primeiro lugar, essa fosse possível e, em segundo, como se, sendo possível e atingida, ela implodisse o sistema de gênero. O problema central desse raciocínio é que ele mantém a família nuclear monogâmica como panaceia, ao passo que a realidade concreta demonstra que dois adultos cuidando de uma casa privada e de uma criança (imaginem quando então há mais do que uma criança) simplesmente não é suficiente. Por mais bem divididas que sejam as tarefas e por mais serviços que possam contratar ou robôs que esses adultos possam comprar para facilitar o cotidiano, sobretudo no contexto em que ambos precisam vender sua força de trabalho durante no mínimo oito horas diárias como forma de subsistir, e ainda que bem remunerados, essa configuração é insuficiente. A experiência de muitos casais durante a pandemia de Covid-19 tem reforçado essa percepção, já que pela primeira vez, para muitos, tornou-se impossível contar com o apoio de instituições, serviços contratados, familiares, etc. que antes dividiam de forma invisível a carga do trabalho de cuidados.

O terceiro e último ponto é a necessidade de, diante disso, nos colocarmos não apenas a tarefa, mas a missão de respondermos, no corpo, uma nova questão. Nos encontramos acossados nesse sentido entre três importantes mecanismos: o modo de produção que nos obriga a vender oito horas diárias de vida em troca de (pouco) pão e a viver em domicílios privados em que todo o universo do trabalho reprodutivo é entendido como problema privado da família; o Parentesco que sustenta as fantasias basilares da nossa subjetividade sobre esses papéis e lugares na família a partir da definição da parentalidade, da maternidade e da paternidade como dados biológicos; e o Gênero que determina enquanto dispositivo de poder o direito de uns sobre os outros na casa, no trabalho de cuidados e na reprodução da vida em todos os seus sentidos e esferas. Nesse contexto, seria possível vislumbrarmos a construção de autonomia sem uma ruptura radical com tais sistemas, que nos levam a enxergar como única saída as tantas e criativas formas de Técnicas Ludovico?

BURGESS, Anthony. *Laranja mecânica.* 3. ed. São Paulo: Aleph, 2019.

BUTLER, Judith. *Problemas de gênero: Feminismo e subversão da identidade.* 17. ed. Rio de Janeiro: Civilização brasileira, 2019. (Sujeito & História).

CARSTEN, Janet. *After Kinship.* Cambridge: Cambridge Univ. Press, 2007. (New departures in anthropology).

LARANJA Mecânica. Direção: Stanley Kubrick, 1971.

LÉVI-STRAUSS, Claude. *As estruturas elementares do parentesco.* 3. ed. Rio de Janeiro: Vozes, 2003.

LEWIS, Sophie. *Full Surrogacy Now: Feminism against family.* Londres: Verso, 2019.

MOSCHKOVICH, Marília. *Feminist Gender Wars: the reception of the concept of Gender in Brazil and the production and circulation of knowledge in a global system.* Tese (Doutorado em Educação) – Faculdade de Educação, Unicamp, Campinas, 2018.

MOSCHKOVICH, Marília. Traduzir Raewyn Connell: como ler Gender em português. In: CONNELL, R.; PEARSE, R. (Org.). *Gênero: Uma perspectiva global.* São Paulo: NVersos, 2015.

RUBIN, Gayle. *Deviations: A Gayle Rubin reader.* Durham, NC: Duke University Press, 2011.

SCHNEIDER, David Murray. *Parentesco americano: uma exposição cultural.* Petrópolis: Vozes, 2016.

STRATHERN, Marilyn. *After nature: English kinship in the late twentieth century.* Cambridge: Cambridge University Press, 1999. (The Lewis Henry Morgan Lectures 1989).

STRATHERN, Marilyn. *O gênero da dádiva: Problemas com as mulheres e problemas com a sociedade na Melanésia.* Campinas: Unicamp, 2013. (Gêneros & feminismos).

Sobre as autoras e o autor

Christian Ingo Lenz Dunker | Psicanalista, professor titular em Psicanálise e Psicopatologia no Instituto de Psicologia da Universidade de São Paulo (IPUSP). Analista membro da Escola dos Fóruns do Campo Lacaniano, duas vezes agraciado com o Prêmio Jabuti, articulista da Boitempo e da UOL-Tilt, youtuber, coordenador do Laboratório de Teoria Social, Filosofia e Psicanálise da USP. Autor de mais de 100 artigos científicos e de 10 livros, entre eles *O palhaço e o psicanalista* (Planeta, 2018), *Transformações da intimidade* (Ubu, 2017) e *Mal-estar, sofrimento e sintoma* (Boitempo, 2015) e *Estrutura e constituição da clínica psicanalítica* (Annablume, 2012).

Daniela Teperman | Psicanalista, mestre em Psicologia Escolar e do Desenvolvimento Humano pelo Instituto de Psicologia da Universidade de São Paulo (IPUSP) e doutora em Psicanálise e Educação pela Faculdade de Educação da Universidade de São Paulo (FEUSP). Participa da equipe de pesquisa e é professora e supervisora do curso de Pós-Graduação em Parentalidade, Perinatalidade e Psicanálise do Instituto Gerar de Psicanálise. É autora dos livros: *Clínica psicanalítica com bebês: uma intervenção a tempo* (Fapesp/Casa do Psicólogo, 2005) e *Família, parentalidade e época: um estudo psicanalítico* (Fapesp/Escuta, 2014).

Marília Barbara Fernandes Garcia Moschkovich | Socióloga do Conhecimento/Ciência e da Educação Superior, socióloga do Gênero e do Feminismo. Doutora em Educação e Ciências Sociais (2018), mestra na mesma área (2013) e bacharel em Ciências Sociais (2009) pela Universidade Estadual de Campinas (Unicamp.) Trabalhou no Centre Européan de Sociologie et Sciences Politiques da École des Hautes Études de Sciences Sociales (EHESS), em Paris, França; bem como no Museo de Antropología da Universidad Nacional de Córdoba (UNC), Argentina. Também atua como tradutora, escritora, poeta, editora e comentarista política, e é colunista do Blog da Boitempo. Encerrou em 2019 um trabalho pós-doutoral na área de gênero, violência doméstica, sexualidade, direitos sexuais e reprodutivos e modelos não tradicionais de relacionamento (não monogamia), como *fellow* da Alexander von Humboldt Stiftung pelo programa Bundeskanzler-Stipendium für Führungskräfte von morgen (German Chancelor Fellowship for Tomorrow's Leaders), em parceria com a Berlin Feminist Film Week, em Berlim.

Miriam Debieux Rosa | Psicanalista, professora livre-docente do Programa de Pós-Graduação em Psicologia Clínica na Universidade de São Paulo (USP). Coordenadora do Laboratório de Psicanálise, Sociedade e Política da USP (PSOPOL). Coordenadora do Grupo Veredas: psicanálise e imigração. Organizadora de vários livros, sendo o último *As escritas do ódio* (Escuta/Fapesp, 2018), autora do livro *Histórias que não se contam: o não-dito na psicanálise com crianças e adolescentes* (Casa do Psicólogo, 2010) e *A clínica psicanalítica em face da dimensão sociopolítica do sofrimento* (Escuta/Fapesp, 2016) primeiro lugar no prêmio Jabuti 2017.

Thais Garrafa | Psicóloga pela Pontifícia Universidade Católica de São Paulo (PUC-SP), psicanalista, professora e supervisora do curso de Pós-Graduação em Parentalidade, Perinatalidade e Psicanálise do Instituto Gerar de Psicanálise, e supervisora clínica no projeto Com Tato do Instituto Fazendo História. Participa da Equipe de Pesquisa do Instituto Gerar. Foi professora do COGEAE/PUC-SP e do curso de Formação em Psicanálise do Centro de Estudos Psicanalíticos (CEP).

Vera Iaconelli | Psicóloga, psicanalista, mestre e doutora em Psicologia pela Universidade de São Paulo (USP), membro do Departamento de Psicanálise do Instituto Sedes Sapientiae e membro da Escola do Fórum do Campo Lacaniano SP. É diretora do Instituto Gerar de Psicanálise, colunista do jornal *A Folha de S.Paulo*, coautora do livro *Histeria e gênero: sexo como desencontro* (nVersos, 2014) e autora dos livros *Criar filhos no século XXI* (Contexto, 2019) e *Mal-estar na maternidade: do infanticídio à função materna* (Zagodoni, 2020).

Este livro foi composto com tipografia Adobe Garamond
e impresso em papel Off-White 90 g/m² na Formato Artes Gráficas.